Unfinished Ode to

Beverley Bie Brahic is a poet and translator. *Unfinished Ode to Mud*, selected poems by Francis Ponge, was shortlisted for the Popescu Prize for European poetry in translation; her translations of poems by Apollinaire under the title *The Little Auto* (CBe, 2012) won the Scott Moncrieff Prize.

Beverley Bie Brahic's collections of poetry include *White Sheets* (CBe, 2012), which was shortlisted for the Forward Prize, and *Hunting the Boar* (CBe, 2106), a Poetry Book Society Recommendation.

Brahic's translation of Ponge's essay 'My Creative Method' is available in *Sonofabook* 1, published by CBe in 2015.

also by Beverley Bie Brahic

FRANCIS PONGE
Unfinished Ode to Mud

poems translated by Beverley Bie Brahic

 *editions*

First published in 2008
by CB editions
146 Percy Road London W12 9QL
www.cbeditions.com
Reissued 2016

ACKNOWLEDGEMENTS
Thanks to *Maisonneuve Magazine* (Montreal) and to *A Public Space* (New York)
in which some of these translations were originally published.
Parts of 'The Washpot' appear in Simone de Beauvoir, *The Second Sex*,
trans. Constance Borde and Sheila Malovany-Chevallier (Random House).

Printed in England by by Imprint Digital, Exeter EX5 5HY

ISBN 978–0–9557285–6–3

Contents

Biographical Note

Francis Ponge was born in Montpellier in the south of France in 1899. His family belonged to the Protestant minority, a fact not insignificant to his development as a poet as he himself hints: 'My origins [are] very close to a certain restraint, reserve and almost austerity . . . very close to the Cathars, very close as well to the Romans of Cato's time . . . there is a kind of atavism there, a moral rigour.' He grew up in Nîmes and Avignon, then, at the age of ten, moved with his family to Caen, in Normandy, where he complained that Gothic spires were not to his taste: 'I preferred square or round towers.'

According to secondary school reports Ponge was 'an intelligent pupil who generally does quite well . . . were he more methodical he might get excellent marks'. He recalled that at the age of fourteen he began to read *Littré*; this French dictionary from the middle of the nineteenth century was to inspire and serve as an etymological and historical reference for many of his poems.

In 1916 Ponge finished secondary school with the best mark in philosophy for his region; the topic was 'On the art of thinking for oneself'. That September he moved to Paris to try his luck at entering the *École normale supérieure*, France's prestigious institution for the study of the sciences and humanities, whose entrance examination requires one or two years of intensive preparation. Ponge passed the written exam in 1919, but failed the oral. During this period he also attended classes at the Sorbonne and studied law.

In 1920 Ponge submitted his first prose poems to Jules Romains, and began to discuss other literary projects. In the next two years, as Hitler began his rise to power in Germany, Mussolini in Italy and Stalin in Russia, he published his first text in a new review called *Le Mouton blanc* and started his long correspondence with Jean Paulhan of the *Nouvelle Revue Française*, which published a first group of his texts, 'Trois satires', in 1923. In 1925 he went to Italy, where he witnessed a number of Fascist demonstrations; this was also the year

that the first texts of *Le Parti pris des choses* were published. In 1931 he married Odette Chabanel; their daughter Armande was born in 1935. In the midst of the period's massive unemployment Ponge took a job at the Messageries Hachette, which he compared to penal servitude. His experience as an office worker eventually led to his communist and socialist sympathies, and to a number of texts. In 1936, as a union representative for the managerial staff of Hachette, he took an active part in a strike there in June, and in January of 1937 he joined the Communist Party (he left it in 1947). Later that year Hachette fired him. In 1938 the texts for *Le Parti pris des choses* were accepted by Gallimard. Because of the war and the German Occupation, however, the book did not appear until 1942.

Mobilised in September 1939, demobilised the following July, Ponge and his wife joined the exodus from Paris. They settled in Lyon, where Ponge became active in the Resistance. Employed by an insurance company and then as a journalist, he found time to publish poems in the principal reviews of the French Resistance and to meet other writers, including Louis Aragon, Paul Eluard and Albert Camus, one of the first readers of *Le Parti pris*, who pointed it out to Sartre. He also began to collaborate with painters such as Braque, Dubuffet, Fautrier and Picasso.

After the war Ponge became increasingly involved in the world of literature and art, travelling around Europe and the United States to read an ever-expanding body of work. He died in 1988.

from **LE PARTI PRIS DES CHOSES /
THE DEFENCE OF THINGS**

Pluie

La pluie, dans la cour où je la regarde tomber, descend à des allures très diverses. Au centre c'est un fin rideau (ou réseau) discontinu, une chute implacable mais relativement lente de gouttes probablement assez légères, une précipitation sempiternelle sans vigueur, une fraction intense du météore pur. A peu de distance des murs de droite et de gauche tombent avec plus de bruit des gouttes plus lourdes, individuées. Ici elles semblent de la grosseur d'un grain de blé, là d'un pois, ailleurs presque d'une bille. Sur des tringles, sur les accoudoirs de la fenêtre la pluie court horizontalement tandis que sur la face inférieure des mêmes obstacles elle se suspend en berlingots convexes. Selon la surface entière d'un petit toit de zinc que le regard surplombe elle ruisselle en nappe très mince, moirée à cause de courants très variés par les imperceptibles ondulations et bosses de la couverture. De la gouttière attenante où elle coule avec la contention d'un ruisseau creux sans grande pente, elle choit tout à coup en un filet parfaitement vertical, assez grossièrement tressé, jusqu'au sol où elle se brise et rejaillit en aiguillettes brillantes.

Chacune de ses formes a une allure particulière: il y répond un bruit particulier. Le tout vit avec intensité comme un mécanisme compliqué, aussi précis que hasardeux, comme une horlogerie dont le ressort est la pesanteur d'une masse donnée de vapeur en précipitation.

La sonnerie au sol des filets verticaux, le glou-glou des gouttières, les minuscules coups de gong se multiplient et résonnent à la fois en un concert sans monotonie, non sans délicatesse.

Lorsque le ressort s'est détendu, certains rouages quelque temps continuent à fonctionner, de plus en plus ralentis, puis toute la machinerie s'arrête. Alors si le soleil reparaît tout s'efface bientôt, le brillant appareil s'évapore: il a plu.

Rain

The rain, in the courtyard where I watch it fall, comes down at very different speeds. In the centre, it is a fine discontinuous curtain (or mesh), falling implacably but relatively slowly, a drizzle, a never-ending languid precipitation, an intense dose of pure meteor. Not far from the right and left walls heavier drops fall more noisily, separately. Here they seem to be about the size of a grain of wheat, there of a pea, elsewhere nearly a marble. On the moulding, on the window ledges, the rain runs horizontally while on the undersides of these same obstacles it is suspended, plump as a humbug. It streams across the entire surface of a little zinc roof the peephole looks down on, in a thin moiré sheet due to the different currents set in motion by the imperceptible undulations and bumps in the roofing. From the adjoining gutter, where it runs with the restraint of a brook in a nearly level bed, it suddenly plunges in a perfectly vertical, coarsely braided stream to the ground, where it splatters and springs up again flashing like needles.

Each of its forms has a particular speed; each responds with a particular sound. The whole lives as intensely as a complicated mechanism, as precise as it is chancy, a clockwork whose spring is the weight of a given mass of precipitate vapour.

The chiming of the vertical streams on the ground, the gurgling of the gutters, the tiny gong beats multiply and resound all at once in a concert without monotony, not without delicacy.

When the spring is unwound, certain gears continue to function for a while, gradually slowing down, until the whole mechanism grinds to a halt. Then, if the sun comes out, everything is erased, the brilliant apparatus evaporates: it has rained.

La Fin de l'automne

Tout l'automne à la fin n'est plus qu'une tisane froide. Les feuilles mortes de toutes essences macèrent dans la pluie. Pas de fermentation, de création d'alcool; il faut attendre jusqu'au printemps l'effet d'une application de compresses sur une jambe de bois.

Le dépouillement se fait en désordre. Toutes les portes de la salle de scrutin s'ouvrent et se ferment, claquant violemment. Au panier, au panier! La Nature déchire ses manuscrits, démolit sa bibliothèque, gaule rageusement ses derniers fruits.

Puis elle se lève brusquement de sa table de travail. Sa stature aussitôt paraît immense. Décoiffée, elle a la tête dans la brume. Les bras ballants, elle aspire avec délices le vent glacé qui lui rafraîchit les idées. Les jours sont courts, la nuit tombe vite, le comique perd ses droits.

La terre dans les airs parmi les autres astres reprend son air sérieux. Sa partie éclairée est plus étroite, infiltrée de vallées d'ombres. Ses chaussures, comme celles d'un vagabond, s'imprègnent d'eau et font de la musique.

Dans cette grenouillerie, cette amphibiguïté salubre, tout reprend forces, saute de pierre en pierre et change de pré. Les ruisseaux se multiplient.

Voilà ce qui s'appelle un beau nettoyage, et qui ne respecte pas les conventions! Habillé comme nu, trempé jusqu'aux os.

Et puis cela dure, ne sèche pas tout de suite. Trois mois de réflexion salutaire dans cet état; sans réaction vasculaire, sans peignoir ni gant de crin. Mais sa forte constitution y résiste.

Aussi, lorsque les petits bourgeons recommencent à pointer, savent-ils ce qu'ils font et de quoi il retourne, – et s'ils se montrent avec précaution, gourds et rougeauds, c'est de connaissance de cause.

Mais là commence une autre histoire, qui dépend peut-être mais n'a pas l'odeur de la règle noire qui va me servir à tirer mon trait sous celle-ci.

The End of Autumn

In the end autumn is nothing but cold tea. All kinds of dead leaves macerate in the rain. No fermentation or distillation of alcohol: only spring will show the effect of compresses applied to a wooden leg.

The last returns are a mess. All the doors of the polling booths bang open and shut. Into the bin! Into the bin! Nature shreds her manuscripts, demolishes her library, furiously knocks down her final fruits.

Then she pushes herself up from her desk. At once she appears immense. Hair undone, head in the mist. Her arms hanging loose, delightfully she inhales the icy, thought-refreshing wind. Days are short, night falls quickly, comedy is uncalled for.

Up in the air among the other stars, the earth looks serious again. Its lit-up part is narrower, infiltrated with valleys of shadow. Its shoes, like those of a tramp, soak up water and make music.

In this frog pond, this salubrious amphibiguity, everything grows strong again, leaps from stone to stone and changes bog. Freshets multiply.

This is what you call a good clean-up, disrespectful of convention! Dressed in nothing, drenched to the bone.

And it goes on, and on, takes ages to dry out. Three months of salutary reflection in this state; without vascular incident, with neither peignoir nor horsehair mitt. Her strong constitution is up to it.

Then, when the little buds start to point again, they know what they are up to, what it's all about – and if they peek out with precaution, swollen and ruddy, it is on good grounds.

But thereby hangs another tale, which may depend on but hasn't the same smell as the black ruler I'm going to use to draw the line under this one.

Les Mûres

Aux buissons typographiques constitués par le poème sur une route qui ne mène hors des choses ni à l'esprit, certains fruits sont formés d'une agglomération de sphères qu'une goutte d'encre remplit.

★

Noirs, roses et kakis ensemble sur la grappe, ils offrent plutôt le spectacle d'une famille rogue à ses âges divers, qu'une tentation très vive à la cueillette.

Vue la disproportion des pépins à la pulpe les oiseaux les apprécient peu, si peu de chose au fond leur reste quand du bec à l'anus ils en sont traversés.

★

Mais le poète au cours de sa promenade professionnelle, en prend de la graine à raison : 'Ainsi donc, se dit-il, réussissent en grand nombre les efforts patients d'une fleur très fragile quoique par un rébarbatif enchevêtrement de ronces défendue. Sans beaucoup d'autres qualités, – mûres, parfaitement elles sont mûres – comme aussi ce poème est fait.'

The Blackberries

On the typographic bushes of the poem down a road leading
neither out of things nor to the mind, certain fruits are composed
of an agglomeration of spheres plumped with a drop of ink.

*

Black, rose and khaki together on the bunch, they are more like
the sight of a rogue family at its different ages than a strong
temptation to picking.

   In view of the disproportion of seeds to pulp birds don't think
much of them, so little remains once from beak to anus they've
been traversed.

*

But the poet in the course of his professional promenade takes
the seed to task: 'So,' he tells himself, 'the patient efforts of a
fragile flower on a rebarbative tangle of brambles are by and large
successful. Without much else to recommend them – *ripe*, indeed
they are ripe – done, like my poem.'

Le Cageot

À mi-chemin de la cage au cachot la langue française a cageot, simple caissette à claire-voie vouée au transport de ces fruits qui de la moindre suffocation font à coup sûr une maladie.

Agencé de façon qu'au terme de son usage il puisse être brisé sans effort, il ne sert pas deux fois. Ainsi dure-t-il moins encore que les denrées fondantes ou nuageuses qu'il enferme.

À tous les coins de rues qui aboutissent aux halles, il luit alors de l'éclat sans vanité du bois blanc. Tout neuf encore, et légèrement ahuri d'être dans une pose maladroite à la voirie jeté sans retour, cet objet est en somme des plus sympathiques, – sur le sort duquel il convient toutefois de ne pas s'appesantir longuement.

The Crate

Midway from a cage to a dungeon, the French language has crate, a simple slatted case devoted to the transport of such fruits as at the least shortness of breath are bound to give up the ghost.

Knocked together so that once it is no longer needed it can be effortlessly crushed, it is not used twice. Which makes it even less durable than the melting or cloudlike produce within.

Then, at the corner of every street leading to the marketplace, it gleams with the modest sparkle of deal. Still spanking new and a little startled to find itself in the street in such an awkward position, cast off once and for all, this object is on the whole one of the most appealing – on whose destiny, however, there's little point in dwelling.

La Bougie

La nuit parfois ravive une plante singulière dont la lueur décompose les chambres meublées en massifs d'ombre.

Sa feuille d'or tient impassible au creux d'une colonnette d'albâtre par un pédoncule très noir.

Les papillons miteux l'assaillent de préférence à la lune trop haute, qui vaporise les bois. Mais brûlés aussitôt ou vannés dans la bagarre, tous frémissent aux bords d'une frénésie voisine de la stupeur.

Cependant la bougie, par le vacillement des clartés sur le livre au brusque dégagement des fumées originales encourage le lecteur, – puis s'incline sur son assiette et se noie dans son aliment.

The Candle

Night sometimes revives a singular plant whose gleam turns furnished rooms to clumps of shadow.

Its gold leaf, cupped in a slim column of alabaster, remains impassive on the end of a pitch-black stalk.

Moth-eaten butterflies attack it instead of the too high moon, which turns the woods to vapour. Instantly singed or knocked out of battle, they simmer on the verge of a frenzy akin to stupor.

But the candle, in flickering across the book and brusquely dissipating the original smokiness, encourages the reader – then bends over its dish and drowns in its food.

L'Orange

Comme dans l'éponge il y a dans l'orange une aspiration à
reprendre contenance après avoir subi l'épreuve de l'expression.
Mais où l'éponge réussit toujours, l'orange jamais: car ses cellules
ont éclaté, ses tissus se sont déchirés. Tandis que l'écorce seule
se rétablit mollement dans sa forme grâce à son élasticité, un
liquide d'ambre s'est répandu, accompagné de rafraîchissement,
de parfums suaves, certes, – mais souvent aussi de la conscience
amère d'une expulsion prématurée de pépins.

Faut-il prendre parti entre ces deux manières de mal supporter
l'oppression? – L'éponge n'est que muscle et se remplit de vent,
d'eau propre ou d'eau sale selon : cette gymnastique est ignoble.
L'orange a meilleur goût, mais elle est trop passive, – et ce sacrifice
odorant . . . c'est faire à l'oppresseur trop bon compte vraiment.

Mais ce n'est pas assez avoir dit de l'orange que d'avoir rappelé sa
façon particulière de parfumer l'air et de réjouir son bourreau. Il
faut mettre l'accent sur la coloration glorieuse du liquide qui en
résulte, et qui, mieux que le jus de citron, oblige le larynx à s'ouvrir
largement pour la prononciation du mot comme pour l'ingestion
du liquide, sans aucune moue appréhensive de l'avant-bouche dont
il ne fait pas hérisser les papilles.

Et l'on demeure au reste sans paroles pour avouer l'admiration que
mérite l'enveloppe du tendre, fragile et rose ballon ovale dans cet
épais tampon-buvard humide dont l'épiderme extrêmement mince
mais très pigmenté, acerbement sapide, est juste assez rugueux
pour accrocher dignement la lumière sur la parfaite forme du fruit.

Mais à la fin d'une trop courte étude, menée aussi rondement que
possible, – il faut en venir au pépin. Ce grain, de la forme d'un

The Orange

As with the sponge, there is with the orange an aspiration to
recover countenance after submitting to the test of expression.
But where the sponge is unfailingly successful, the orange never
is: its cells have burst, its tissues ripped. As the rind alone gets
back its shape, more or less, thanks to its elasticity, an amber
liquid squeezes itself out along with, we grant you, refreshment
and suave fragrances – but also often a bitter awareness of having
prematurely delivered its seed.

Must one take sides concerning these different ways of not
withstanding oppression? – The sponge is just a muscle and fills
up with air, with clean or dirty water, it all depends: a disgraceful
performance. The orange has better taste, but it is too passive –
and this fragrant sacrifice . . . really it submits too readily to its
oppressor.

But it is not enough to point out the orange's particular fashion
of embalming the air and procuring its tormentor's pleasure. We
must insist on the glorious colour of the ensuing liquid, which,
better than lemon juice, causes the larynx to open as wide to say
the word as to ingest the liquid, without any apprehensive pursing
of the mouth, whose taste buds do not bristle at it.

And words fail us when it comes to expressing our admiration for
the outer wrapping of the tender, fragile and pink oval balloon
in its thick, moist blotting paper whose extremely fine but highly
pigmented, tartly tasty epidermis is just rough enough to catch the
light on the perfect form of the fruit.

To conclude this too brief study, dispatched as roundly as possible,
we come at last to the pip. This seed, in the shape of a minuscule

minuscule citron, offre à l'extérieur la couleur du bois blanc de citronnier, à l'intérieur un vert de pois ou de germe tendre. C'est en lui que se retrouvent, après l'explosion sensationnelle de la lanterne vénitienne de saveurs, couleurs et parfums que constitue le ballon fruité lui-même, – la dureté relative et la verdeur (non d'ailleurs entièrement insipide) du bois, de la branche, de la feuille: somme toute petite quoique avec certitude la raison d'être du fruit.

L'Huître

L'huître, de la grosseur d'un galet moyen, est d'une apparence plus rugueuse, d'une couleur moins unie, brillamment blanchâtre. C'est un monde opiniâtrement clos. Pourtant on peut l'ouvrir: il faut alors la tenir au creux d'un torchon, se servir d'un couteau ébréché et peu franc, s'y reprendre à plusieurs fois. Les doigts curieux s'y coupent, s'y cassent les ongles: c'est un travail grossier. Les coups qu'on lui porte marquent son enveloppe de ronds blancs, d'une sorte de halos.

À l'intérieur l'on trouve tout un monde, à boire et à manger: sous un *firmament* (à proprement parler) de nacre, les cieux d'en-dessus s'affaissent sur les cieux d'en-dessous, pour ne plus former qu'une mare, un sachet visqueux et verdâtre, qui flue et reflue à l'odeur et à la vue, frangé d'une dentelle noirâtre sur les bords.

Parfois très rare une formule perle à leur gosier de nacre, d'où l'on trouve aussitôt à s'orner.

lemon, is on the outside the colour of raw lemon-tree wood, but inside it is like the green of a pea or tender shoot. It is a concentrate, after the sensational explosion of the Venetian lantern of tastes, colours and perfumes that make up the fruity balloon – of the relative hardness and greenness (moreover, not completely insipid) of the wood, the branch, the leaf: a small thing, all in all, though undoubtedly the fruit's whole reason to exist.

The Oyster

The oyster, the size of your average pebble, is less regular in appearance, in colour less uniform, dazzlingly whitish. A world stubbornly closed. Still, it can be opened: grab it in a tea towel, use a notched but fairly blunt knife, keep at it. Curious fingers get nicked at this game, break their nails: it's rough work. Our jabs mark its outside with white rings, sorts of halos.

Inside you find a whole world to eat and to drink: beneath a *firmament* (strictly speaking) of mother-of-pearl, the heavens above slump into the heavens below, forming a mere pond, a viscous greenish blob, which ebbs and flows in our eyes and nose, in its fringe of blackish lace.

Once in a while a formula seeds itself in its mother-of-pearl gullet, with which we immediately adorn ourselves.

Les Plaisirs de la porte

Les rois ne touchent pas aux portes.

Ils ne connaissent pas ce bonheur: pousser devant soi avec douceur ou rudesse l'un de ces grands panneaux familiers, se retourner vers lui pour le remettre en place, – tenir dans ses bras une porte .

. . . Le bonheur d'empoigner au ventre par son nœud de porcelaine l'un de ces hauts obstacles d'une pièce; ce corps à corps rapide par lequel un instant la marche retenue, l'œil s'ouvre et le corps tout entier s'accommode à son nouvel appartement.

D'une main amicale il la retient encore, avant de la repousser décidément et s'enclore, – ce dont le déclic du ressort puissant mais bien huilé agréablement l'assure.

The Delights of the Door

Kings don't touch doors.

They do not know this bliss: to push one of those large familiar panels gently or brusquely ahead of oneself, to turn and put it back in its place – to hold a door in one's arms.

... The bliss of getting a grip on one of a room's tall obstacles by its belly's porcelain knob; the quick clinch before one takes the next step, during which one's eye opens and one's whole body adjusts to its new apartment.

With a friendly hand one grips it an instant, then firmly pushes it off and shuts oneself in – reassured by the click of the powerful but well-oiled spring.

Le Mollusque

Le mollusque est un *être – presque une qualité*. Il n'a pas besoin de charpente mais seulement d'un rempart, quelque chose comme la couleur dans le tube.

La nature renonce ici à la présentation du plasma en forme. Elle montre seulement qu'elle y tient en l'arbritant soigneusement, dans un écrin dont la face intérieure est la plus belle.

Ce n'est donc pas un simple crachat, mais une réalité des plus précieuses.

Le mollusque est doué d'une énergie puissante à se renfermer. Ce n'est à vrai dire qu'un muscle, un gond, un blount et sa porte.

Le blount ayant sécrété la porte. Deux portes légèrement concaves constituent sa demeure entière.

Première et dernière demeure. Il y loge jusqu'après sa mort. Rien à faire pour l'en tirer vivant.

La moindre cellule du corps de l'homme tient ainsi, et avec cette force, à la parole, – et réciproquement.

Mais parfois un autre être vient violer ce tombeau, lorsqu'il est bien fait, et s'y fixer à la place du constructeur défunt.

C'est le cas du pagure.

The Mollusc

The mollusc is a *being – almost a quality*. It has no need of a framework, only a rampart, something like pigment in a tube.

Nature here foregoes giving plasma some kind of form. She merely shows her attachment to it by keeping it in a casket more beautiful inside than out.

It is not therefore just a gob of spit but a most precious reality.

The mollusc is endowed with tremendous strength to shut itself up. In fact, it is really just a muscle, a hinge, a spring, a blount and its door.

The spring having secreted the door. Two slightly concave doors constitute its entire dwelling place.

First and last dwelling place. It lives there until after its death.

No way to get it out alive.

The least cell of a man's body is attached in the same way, and with the same tenacity, to speech – and vice versa.

But sometimes another creature comes along to desecrate the tomb, when it is well built, and ensconce itself in the place of the defunct builder.

For instance the hermit crab.

Le Papillon

Lorsque le sucre élaboré dans les tiges surgit au fond des fleurs, comme des tasses mal lavées, – un grand effort se produit par terre d'où les papillons tout à coup prennent leur vol.

Mais comme chaque chenille eut la tête aveuglée et laissée noire, et le torse amaigri par la véritable explosion d'où les ailes symétriques flambèrent,

Dès lors le papillon erratique ne se pose plus qu'au hasard de sa course, ou tout comme.

Allumette volante, sa flamme n'est pas contagieuse. Et d'ailleurs, il arrive trop tard et ne peut que constater les fleurs écloses. N'importe: se conduisant en lampiste, il vérifie la provision d'huile de chacune. Il pose au sommet des fleurs la guenille atrophiée qu'il emporte et venge ainsi sa longue humiliation amorphe de chenille au pied des tiges.

Minuscule voilier des airs maltraité par le vent en pétale superfétatoire, il vagabonde au jardin.

The Butterfly

Once the sugar concocted in the stems appears at the bottom of the flowers, like carelessly washed cups – a great effort occurs on the ground from which butterflies all of a sudden fly up.

But just as each caterpillar's head was blinded and left black, its torso thinned by a veritable explosion from which the symmetrical wings flared up,

So from that time forth the erratic butterfly alights only randomly in its flight, or so it seems.

A match in flight, its flame is not catching. Besides it comes too late and can only take note of the blown flowers. Never mind: like a lamplighter, it checks the oil in each one. It dips its tattered rag to the flower's lip, then lifts it off, taking revenge for its long amorphous humiliation as a caterpillar at the base of the stems.

Minuscule sailing ship of the air the wind takes for a superfetatious petal, it vagabonds about the yard.

La Mousse

Les patrouilles de la végétation s'arrêtèrent jadis sur la stupéfaction des rocs. Mille bâtonnets du velours de soie s'assirent alors en tailleur.

Dès lors, depuis l'apparente crispation de la mousse à même le roc avec ses licteurs, tout au monde pris dans un embarras inextricable et bouclé là-dessous, s'affole, trépigne, étouffe.

Bien plus, les poils ont poussé; avec le temps tout s'est encore assombri.

O préoccupations à poils de plus en plus longs! Les profonds tapis, en prière lorsqu'on s'assoit dessus, se révèlent aujourd'hui avec des aspirations confuses.

Ainsi ont lieu non seulement des étouffements mais des noyades.

Or, scalper tout simplement du vieux roc austère et solide ces terrains de tissu-éponge, ces paillassons humides, à saturation devient possible.

Moss

In the old days vegetation's patrols came to a halt at the stupefaction of rocks. A thousand little silk velvet rods crossed their legs and sat down.

Since then, from the first apparent tensing of moss on the rock face with its lictors, the whole kit and caboodle gets tied in knots; pinned there, panics, stamps its feet, suffocates.

And not only that, its hair grew; in time everything got darker and darker.

O longer and longer-haired preoccupations! The deep carpets, bending in prayer whenever one sits on them, today rise up with confused aspirations. Hence not just suffocations but drownings.

Still, at saturation, simply scalping these yards of towelling, these spongy doormats, from the austere, solid old rock becomes possible.

Le Morceau de viande

Chaque morceau de viande est une sorte d'usine, moulins et pressoirs à sang.

Tubulures, hauts fourneaux, cuves y voisinent avec les marteaux-pilons, les coussins de graisse.

La vapeur y jaillit, bouillante. Des feux sombres ou clairs rougeoient.

Des ruisseaux à ciel ouvert charrient des scories avec le fiel.

Et tout cela refroidit lentement à la nuit, à la mort.

Aussitôt, sinon la rouille, du moins d'autres réactions chimiques se produisent, qui dégagent des odeurs pestilentielles.

The Piece of Meat

Every piece of meat is a sort of factory, mills and presses for the blood.

Pipes, blast furnaces and vats cheek by jowl with sledgehammers and grease pads.

Steam spurts up, boiling hot. Dark or bright fires glower.

Open gutters sluice off clinkers of bile.

And all this cools down gradually at night, upon death.

Right away, if not rust, other chemical reactions take place, giving off pestilential odours.

Le Restaurant Lemeunier,
rue de la Chaussée-d'Antin

Rien de plus émouvant que le spectacle que donne, dans cet immense Restaurant Lemeunier, rue de la Chaussée-d'Antin, la foule des employés et des vendeuses qui y déjeunent a midi.

La lumière et la musique y sont dispensées avec une prodigalité qui fait rêver. Des glaces biseautées, des dorures partout. L'on y entre à travers des plantes vertes par un passage plus sombre aux parois duquel quelques dîneurs déjà a l'étroit sont installés, et qui débouche dans une salle aux proportions énormes, à plusieurs balcons de pitchpin formant un seul étage en huit, où vous accueillent à la fois des bouffées d'odeurs tièdes, le tapage des fourchettes et des assiettes choquées, les appels des serveuses et le bruit des conversations.

C'est une grande composition digne du Véronèse pour l'ambition et le volume, mais qu'il faudrait peindre tout entière dans l'esprit du fameux Bar de Manet.

Les personnages dominants y sont sans contredit d'abord le groupe des musiciens au nœud du huit, puis les caissières assises en surélévation derrière leurs banques, d'où leur corsages clairs et obligatoirement gonflés tout entiers émergent, enfin de pitoyables caricatures de maîtres d'hôtel circulant avec une relative lenteur, mais obligés parfois à mettre la main à la pâte avec la même précipitation que les serveuses, non par l'impatience des dîneurs (peu habitués à l'exigence) mais par la fébrilité d'un zèle professionnel aiguillonné par le sentiment de l'incertitude des situations dans l'état actuel de l'offre et de la demande sur le marche du travail.

Ô monde des fadeurs et des fadaises, tu atteins ici à ta perfection! Toute une jeunesse inconsciente y singe quotidiennement cette frivolité tapageuse que les bourgeois se permettent huit ou dix fois

Lemeunier Restaurant, rue de la Chaussée d'Antin

What could be more moving than the show put on by the midday crowd of office workers and shop assistants who dine in Lemeunier's huge establishment on the Rue de la Chaussée d'Antin?

Light and music are dispensed with a dreamlike prodigality. Bevelled mirrors, gilt everywhere. One enters through potted plants down a dim passage, along whose walls a few diners are already squeezed, and which comes out in a room of enormous proportions with a tier of wooden balconies forming a mezzanine where whiffs of scented warm air, the clatter and clash of forks and plates, voices of waitresses and the hubbub of conversation all greet you at once.

It is a great composition, worthy of Veronese for its ambition and scope, but needing to be painted entirely in the spirit of Manet's famous *Bar*.

The main characters are indisputably, first, the group of musicians ensconced on the mezzanine, then the cashiers, presiding from behind their registers, from which their bright and necessarily bouffant bodices emerge in their entirety, lastly, the pitiful caricatures of maîtres d'hotels who move around relatively slowly but who are nonetheless required from time to time to lend a hand with the same precipitation as the waitresses, not because of any impatience on the part of the diners (little used to be demanding) but because of a feverish sense of professional zeal sharpened by the current state of supply and demand in the job market.

O world of banalities and chitchat, here you reach your peak! A whole heedless youth daily apes the ostentatious frivolity which the bourgeoisie permits itself eight or ten times a year, when the

par an, quand le père banquier ou la mère kleptomane ont réalisé quelque bénéfice supplémentaire vraiment inattendu, et veulent comme il faut étonner leurs voisins.

Cérémonieusement attifés, comme leurs parents à la campagne ne se montrent que le dimanche, les jeunes employés et leurs compagnes s'y plongent avec délices, en toute bonne foi chaque jour. Chacun tient à son assiette comme le bernard-l'hermite à sa coquille, tandis que le flot copieux de quelque valse viennoise dont la rumeur domine le cliquetis des valves de faïence, remue les estomacs et les cœurs.

Comme dans une grotte merveilleuse, je les vois tous parler et rire mais ne les entends pas. Jeune vendeur, c'est ici, au milieu de la foule de tes semblables, que tu dois parler à ta camarade et découvrir ton propre cœur. Ô confidence, c'est ici que tu seras échangée!

Des entremets à plusieurs étages crémeux hardiment superposés, servis dans des cupules d'un métal mystérieux, hautes de pied mais rapidement lavées et malheureusement toujours tièdes, permettent aux consommateurs qui choisirent qu'on les disposât devant eux, de manifester mieux que par d'autres signes les sentiments profonds qui les animent. Chez l'un c'est l'enthousiasme qui lui procure la présence à ses côtés d'une dactylo magnifiquement ondulée, pour laquelle il n'hésiterait pas à commettre mille autres coûteuses folies du même genre; chez l'autre, c'est le souci d'étaler une frugalité de bon ton (il n'a pris auparavant qu'un léger hors-d'œuvre) conjuguée avec un goût prometteur des friandises; chez quelques-uns c'est ainsi que se montre un dégoût aristocratique de tout ce qui dans ce monde participe pas tant soit peu de la féerie; d'autres enfin, par la façon dont ils dégustent, révèlent une âme noble et blasée, et une grande habitude et satiété du luxe.

Par milliers cependant les miettes blondes et de grandes imprégnations roses sont en même temps apparues sur le linge épars ou tendu.

banker father or the kleptomaniac mother comes into some unexpected windfall and wishes properly to dazzle their neighbours.

Dressed to the nines, like country cousins in their Sunday best, without a second thought young office workers and their female companions blissfully indulge themselves every single day of the week. Each clings to his plate like a hermit crab to its shell while the copious wave of some Viennese waltz, its roar drowning out the click of faience valves, stirs stomachs and hearts.

I see them all there talking and laughing as if in some enchanted grotto but I do not hear them. Young salesclerk, it is here in this crowd of your peers that you must address your friend and discover your own heart. O confidence, here you will be exchanged!

Multi-tiered creamy desserts daringly piled up and served in cups of some mysterious metal, long-stemmed but rapidly rinsed and unfortunately always lukewarm, allow diners who ask to have one set down before them to display the deep feelings that move them. For one, his enthusiasm is what attracts the splendidly undulant typist for whom he would not hesitate to commit a thousand similar follies; for another it is the desire to make a show of well-bred frugality (having previously allowed himself but a light hors d'oeuvre) together with a promising taste for sweets; for a few it is a way of demonstrating an aristocratic distaste for everything in the world that does not deign to partake of their fairytale world; others, finally, by their table manners reveal a noble and blasé soul, a great familiarity with and surfeit of luxury.

Blond crumbs by the thousands, however, and large rosy blots have been appearing on the dishevelled or tautly drawn linens.

Un peu plus tard, les briquets se saisissent du premier rôle; selon le dispositif qui actionne la molette ou la façon dont ils sont manies. Tandis qu'élevant les bras dans un mouvement qui découvre à leurs aisselles leur façon personnelle d'arborer les cocardes de la transpiration, les femmes se recoiffent ou jouent du tube de fard.

C'est l'heure où, dans un brouhaha recrudescent de chaises repoussées, de torchons claquants, de croutons écrasés, va s'accomplir le dernier rite de la singulière cérémonie. Successivement, de chacun de leurs hôtes, les serveuses, dont un carnet habite la poche et les cheveux un petit crayon, rapprochent leur ventres serrés d'une façon si touchante par les cordons du tablier: elles se livrent de mémoire a une rapide estimation. C'est alors que la vanité est punie et la modestie récompensée. Pièces et billets bleus s'échangent sur les tables: il semble que chacun retire son épingle du jeu.

Fomenté cependant par les filles de salle au cours des derniers services du repas du soir, peu à peu se propage et à huis clos s'achève un soulèvement général du mobilier, à la faveur duquel les besognes humides du nettoyage sont aussitôt entreprises et sans embarras terminées.

C'est alors seulement que les travailleuses, une à une soupesant quelques sous qui tintent au fond de leur poche, avec la pensée qui regonfle dans leur cœur de quelque enfant en nourrice à la campagne ou en garde chez les voisins, abandonnent avec indifférence ces lieux éteints, tandis que du trottoir d'en face l'homme qui les attend n'aperçoit plus qu'une vaste ménagerie de chaises et de tables, l'oreille haute, les unes par-dessus les autres dressées à contempler avec hébétude et passion la rue déserte.

In a while, the cigarette lighters steal the show; according to their mechanism or the manner of manipulating them. Meanwhile, lifting their arms so as to reveal their particular fashion of sporting the armpit's rosette of perspiration, women pat at their hairdos or toy with a tube of make-up.

The time has come, in a crescendo of scraped chairs, slapping dishcloths, crushed crusts, for the last rite in this strange ceremony. One after another, the waitresses, whose pockets harbour a notebook, hair a stub of a pencil, advance their tummies, so touchingly bound by the strings of their aprons, towards each of their guests: they make a rapid mental computation. Now vanity will be punished and modesty rewarded. Coins and banknotes are exchanged on the tables: everyone, it appears, comes out even.

During the final services of the evening meal, at the instigation of the waitresses, a general elevation of the furniture is begun and brought to a conclusion behind closed doors, after which humid moppings-up are promptly initiated and smartly concluded.

Only then do the workers, weighing one by one the few pennies jingling in the bottom of their pockets, hearts swelling at the thought of some child with its nurse in the country or in the care of neighbours, abandon these dim premises without a backward thought, while from the opposite sidewalk the man who is waiting for them sees only a vast menagerie of tables and chairs, ears pricked up, contemplating the deserted street in a passionate daze.

Notes pour un coquillage

Un coquillage est une petite chose, mais je peux la démesurer en la replaçant où je la trouve, posée sur l'étendue du sable. Car alors je prendrai une poignée de sable et j'observerai le peu qui me reste dans la main après que par les interstices de mes doigts presque toute la poignée aura filé, j'observerai quelques grains, puis chaque grain, et aucun de ces grains de sable à ce moment ne m'apparaîtra plus une petite chose, et bientôt le coquillage formel, cette coquille d'huître ou cette tiare bâtarde, ou ce 'couteau', m'impressionnera comme un énorme monument, en même temps colossal, et précieux, quelque chose comme le temple d'Angkor, Saint-Maclou, ou les Pyramides, avec une signification beaucoup plus étrange que ces trop incontestables produits d'hommes.

Si alors il me vient à l'esprit que ce coquillage, qu'une lame de la mer peut sans doute recouvrir, est habité par une bête, si j'ajoute une bête à ce coquillage en l'imaginant replacé sous quelques centimètres d'eau, je vous laisse à penser de combien s'accroîtra, s'intensifiera de nouveau mon impression, et deviendra différente de celle que peut produire le plus remarquable des monuments que j'évoquais tout à l'heure!

*

Les monuments de l'homme ressemblent aux morceaux de son squelette, à de grands os décharnés: ils n'évoquent aucun habitant à leur taille. Les cathédrales les plus énormes ne laissent sortir qu'une foule informe de fourmis, et même la villa, le château le plus somptueux faits pour un seul homme sont encore plutôt comparables à une ruche ou à une fourmilière à compartiments nombreux, qu'à un coquillage. Quand le seigneur sort de sa demeure il fait certes moins d'impression que lorsque le bernard-l'hermite laisse apercevoir sa monstrueuse pince à l'embouchure du superbe cornet qui l'héberge.

Notes towards a Shell

A shell is a small thing, but I can make it enormous if I set it back down where I found it, on the stretch of sand. For then I shall take a handful of sand and observe the little that remains when most of it has run through my fingers, I shall observe a few grains, then single grains, and none of these grains of sand will now seem small to me, and soon the form of the shell, this oyster shell or this mitre shell, or this 'razor', will look as impressive to me as a great monument, both colossal and precious, something like the temple at Angkor, Saint-Maclou, or the pyramids, but with an infinitely stranger significance than these too obviously human products.

Then, if I recall that this shell, which a wave may cover, is home to a creature, if I add a creature to this shell and imagine it set down again in a few centimetres of water, I leave you to guess how that adds to, how that intensifies, my impression, and sets it apart from that produced by the most remarkable of the monuments I mentioned above!

*

Man's monuments resemble the parts of his skeleton or of any skeleton; they are like large clean bones: they do not conjure up any inhabitant of comparable size. The most enormous cathedrals only disgorge an amorphous crowd of ants, and even a villa, the most sumptuous castle made for a single man are more like a hive or an ant hill with numerous compartments, than a shell. A lord leaving his manor is considerably less impressive than the hermit crab's monstrous claw glimpsed in the mouth of the superb cornet it calls home.

Je puis me plaire a considérer Rome, ou Nîmes, comme le squelette épars, ici le tibia, là le crâne d'une ancienne ville vivante, d'un ancien vivant, mais alors il me faut imaginer un énorme colosse en chair et en os, qui ne correspond vraiment à rien de ce qu'on peut raisonnablement inférer de ce qu'on nous a appris, même à la faveur d'expressions au singulier, comme le Peuple Romain, ou la Foule Provençale.

Que j'aimerais qu'un jour l'on me fasse entrevoir qu'un tel colosse a réellement existé, qu'on nourrisse en quelque sorte la vision très fantomatique et uniquement abstraite sans aucune conviction que je m'en forme! Qu'on me fasse toucher les joues, la forme de son bras et comment il le posait le long de son corps.

Nous avons tout cela avec le coquillage: nous sommes avec lui en pleine chair, nous ne quittons pas la nature: le mollusque ou le crustacé sont là présents. D'où, une sorte d'inquiétude qui décuple notre plaisir.

★

Je ne sais pourquoi je souhaiterais que l'homme, au lieu de ces énormes monuments qui ne témoignent que de la disproportion grotesque de son imagination et de son corps (ou alors de ses ignobles mœurs sociales, compagniales), au lieu encore de ces statues à son échelle ou légèrement plus grandes (je pense au David de Michel-Ange) qui n'en sont que de simples représentations, sculpte des espèces de niches, de coquilles à sa taille, des choses très différentes de sa forme de mollusque mais cependant y proportionnées (les cahutes nègres me satisfont assez de ce point de vue), que l'homme mette son soin à se créer aux générations une demeure pas beaucoup plus grosse que son corps, que toutes ses imaginations, ses raisons soient là comprises, qu'il emploie son génie à l'ajustement, non à la disproportion, – ou, tout au moins, que le génie se reconnaisse les bornes du corps qui le supporte.

It is pleasant to think of Rome, or Nîmes, as scattered parts of the skeleton, here the tibia, there the skull, of a once-vital city, of a former being, but then I need to imagine a colossus of flesh and bone, which does not really correspond to anything we can reasonably infer from what we have been taught, even using such singular expressions, as the Roman People, the Provençal Crowd.

How I should like to be shown one day that such a colossus really existed, for someone somehow to nourish the ghostly and purely abstract, unconvincing vision I form of it! Make me touch its cheeks, the shape of its arm and the way it held it along its body.

In the shell we have all of that: we have it in the flesh, we don't have to go outside nature: the mollusk or the crustacean is present within it. Whence a kind of anxiety that increases our pleasure tenfold.

*

I do not know why it is I should like man, in the place of these huge monuments which merely bear witness to the grotesque disproportion of his imagination and body (or perhaps to his ignoble social or company mores), in the place as I say of these statues to scale or slightly bigger (I am thinking of Michelangelo's David) which are merely copies after nature, to sculpt sorts of niches, shells made to measure, things very different from his shellfish form but nonetheless in proportion to it (from this standpoint African huts suit me well), that man devote himself to creating a dwelling place not much larger than his own body for the generations to come, for the whole of his imagination, his reasoning to be contained in it, that he use his genius to adjust it, rather than to build something outsize – or, at least, that his genius recognise the limits of its supporting body.

Et je n'admire même pas ceux comme Pharaon qui font exécuter par une multitude des monuments pour un seul: j'aurais voulu qu'il employât cette multitude à une œuvre pas plus grosse ou pas beaucoup plus grosse que son propre corps, – ou – ce qui aurait été plus méritoire encore, qu'il témoignât de sa supériorité sur les autres hommes par le caractère de son œuvre propre.

De ce point de vue j'admire surtout certains écrivains ou musiciens mesurés, Bach, Rameau, Malherbe, Horace, Mallarmé –, les écrivains par-dessus tous les autres parce que leur monument est fait de la véritable sécrétion commune du mollusque homme, de la chose la plus proportionnée et conditionnée à son corps, et cependant la plus différente de sa forme que l'on puisse concevoir: je veux dire la PAROLE.

O Louvre de lecture, qui pourra être habité, après la fin de la race peut-être par d'autres hôtes, quelques singes par exemple, ou quelque oiseau, ou quelque être supérieur, comme le crustacé se substitue au mollusque dans la tiare bâtarde.

Et puis après la fin de tout le règne animal, l'air et le sable en petits grains lentement y pénètrent, cependant que sur le sol il luit encore et s'érode, et va brillamment se désagréger, ô stérile, immatérielle poussière, ô brillant résidu, quoique sans fin brassé et trituré entre les laminoirs aériens et marins, ENFIN! l'on n'est plus là et ne peut rien reformer du sable, même pas du verre, et C'EST FINI!

Nor do I admire those who like Pharaoh make multitudes raise monuments for a single person: I should have preferred him to use this multitude to build something no bigger or not much bigger than his own body, or – what would have been even worthier, that he had proved his superiority over other men by a characteristic work of his own.

From this point of view I particularly admire certain well-tempered writers or musicians, Bach, Rameau, Malherbe, Horace, Mallarmé – the writers above all because their monument is composed of the true common secretion of the mollusc man, of what is best-proportioned and adapted to his body, and furthermore as distinct from his form as one can imagine: I mean, SPEECH.

O reading Louvre, which may be inhabited, after the end of the race, by other guests, a few monkeys, for example, or some bird, or some superior being, just as the crustacean takes over the mollusc's niche in the mitre-shell.

And then after the end of all animal reign, air and small grains of sand will slowly penetrate it as it lies on the ground, still gleaming and eroding, brilliantly crumbling to bits, O sterile immaterial dust, O brilliant residue, endlessly stirred and ground down between the mills of air and sea, AT LAST! *one* is no longer there and can make nothing of sand, not even glass, and THAT'S THE END OF IT!

Le Galet

Le galet n'est pas une chose facile à bien définir.

Si l'on se contente d'une simple description l'on peut dire d'abord que c'est une forme ou un état de la pierre entre le rocher et le caillou.

Mais ce propos déjà implique de la pierre une notion qui doit être justifiée. Qu'on ne me reproche pas en cette matière de remonter plus loin même que le déluge.

★

Tous les rocs sont issus par scissiparité d'un même aïeul énorme.

De ce corps fabuleux l'on ne peut dire qu'une chose, savoir que hors des limbes il n'a point tenu debout.

La raison ne l'atteint qu'amorphe et répandu parmi les bonds pâteux de l'agonie. Elle s'éveille pour le baptême d'un héros de la grandeur du monde, et découvre le pétrin affreux d'un lit de mort.

Que le lecteur ici ne passe pas trop vite, mais qu'il admire plutôt, au lieu d'expressions si épaisses et si funèbres, la grandeur et la gloire d'une vérité qui a pu tant soit peu se les rendre transparentes et n'en paraître pas tout à fait obscurcie.

Ainsi, sur une planète déjà terne et froide, brille à présent le soleil. Aucun satellite de flammes à son égard ne trompe plus. Toute la gloire et toute l'existence, tout ce qui fait voir et tout ce qui fait vivre, la source de toute apparence objective s'est retirée à lui. Les héros issus de lui qui gravitaient dans son entourage se sont volontairement éclipsés. Mais pour que la vérité dont ils abdiquent la gloire – au profit de sa source même – conserve un public et des objets, morts ou sur le point de l'être, ils n'en continuent pas moins autour d'elle leur ronde, leur service de spectateurs.

L'on conçoit qu'un pareil sacrifice, l'expulsion de la vie hors de natures autrefois si glorieuses et si ardentes, ne soit pas allé sans de dramatiques bouleversements intérieurs. Voilà l'origine du gris chaos de la Terre, notre humble et magnifique séjour.

The Pebble

It is not easy to come up with a good definition of a pebble.
If we could content ourselves with a simple description we might
begin by saying that it is a form or state of stone between rocks
and gravel.

But this statement already implies an idea of stone that requires
justification. So don't blame me for being antediluvian in this matter.

    *

All rocks are formed by scissiparity of a single enormous ancestor.
Of this fabulous body we have but one thing to say: once out of
limbo it didn't hold up.

Our minds can only grasp it as amorphous and scattered about
the doughy bounds of its agony. They awake for the baptism of an
epic hero, and discover the frightful toils of a deathbed.

The reader should not rush over this part, but take time to
admire, if not such heavy and funereal expressions, then at least
the grandeur and the glory of a truth that renders them somewhat
transparent without being totally obscure.

So, on a planet already dull and cold, the sun now shines. No
flaming satellite deceives us about this state of things. All glory
and all life, everything that allows us to see and to live, the source
of every objective appearance has become its sole prerogative.
The heroes it has given birth to, which gravitate around it, have
let themselves be eclipsed. But so that the truth, whose glory they
renounce--in favour of the source itself--may keep its audience
and a few dead or dying objects, they nevertheless continue their
rounds, their spectatorial turns of duty.

We can conceive that such a sacrifice, the expulsion of life from
natures once so glorious and so ardent, did not occur without
dramatic inner upheavals. Such is the origin of the grey chaos of
Earth, our humble and magnificent dwelling.

Ainsi, après une période de torsions et de plis pareils à ceux d'un corps qui s'agite en dormant sous les couvertures, notre héros, maté (par sa conscience) comme par une monstrueuse camisole de force, n'a plus connu que des explosions intimes, de plus en plus rares, d'un effet brisant sur une enveloppe de plus en plus lourde et froide.

Lui mort et elle chaotique sont aujourd'hui confondus.

★

De ce corps une fois pour toutes ayant perdu avec la faculté de s'émouvoir celle de se refondre en une personne entière, l'histoire depuis la lente catastrophe du refroidissement ne sera plus que celle d'une perpétuelle désagrégation. Mais c'est à ce moment qu'il advient d'autres choses: la grandeur morte, la vie fait voir aussitôt qu'elle n'a rien de commun avec elle. Aussitôt, à mille ressources.

Telle est aujourd'hui l'apparence du globe. Le cadavre en tronçons de l'être de la grandeur du monde ne fait plus que servir de décor à la vie de millions d'êtres infiniment plus petits et plus éphémères que lui. Leur foule est par endroits si dense qu'elle dissimule entièrement l'ossature sacrée qui leur servit naguère d'unique support. Et ce n'est qu'une infinité de leurs cadavres qui réussissant depuis lors à imiter la consistance de la pierre, par ce qu'on appelle la terre végétale, leur permet depuis quelques jours de se reproduire sans rien devoir au roc.

Par ailleurs l'élément liquide, d'une origine peut-être aussi ancienne que celui dont je traite ici, s'étant assemblé sur de plus ou moins grandes étendues, le recouvre, s'y frotte, et par des coups répétés active son érosion.

Je décrirai donc quelques-unes des formes que la pierre actuellement éparse et humiliée par le monde montre à nos yeux.

★

Les plus gros fragments, dalles à peu près invisibles sous les végétations entrelacées qui s'y agrippent autant par religion que pour d'autres motifs, constituent l'ossature du globe.

Ce sont là de véritables temples: non point des constructions

Thus, after a period of twisting and turning like a body tossing in sleep, our hero, strapped (by his conscience) into something resembling a monstrous straitjacket, felt only the occasional inward explosion, with a shattering effect on a crust grown ever colder and heavier.

Stone dead and chaotic earth are today as one.

*

Having lost once and for all the capacity of being moved along with that of regaining its integrity, this body's history in the aftermath of the slow catastrophe of cooling is of a perpetual breakdown. But now other things happen: grandeur dead, life promptly demonstrates that they have nothing in common. Right away, in a thousand details.

Such is the present appearance of the globe. The chopped-up cadaver of the world's great being now serves only as backdrop to the lives of millions of beings infinitely smaller and more ephemeral than itself. In some places this host is so dense as to cover completely the sacred ossature that was once its sole support. And it is only the infinite number of their cadavers that, having managed to imitate the consistency of stone by what one calls topsoil, have in the last few days been able to reproduce without owing anything to rock.

The liquid element, on the other hand, whose origin can possibly be traced as far back as that of my present subject, having collected over more or less broad areas, covers it up, rubs against it and by its repeated blows speeds up its erosion.

I shall therefore describe some of the forms in which stone, currently sparse and humiliated by the world, manifests itself to us.

*

The biggest fragments, slabs pretty much out of sight beneath a tangle of plants, which cling to them as much by religion as for other reasons, form the bony structure of the globe.

These are true temples: not constructions arbitrarily raised

41

élevées arbitrairement au-dessus du sol, mais les restes impassibles de l'antique héros qui fut naguère véritablement au monde.

Engagé à l'imagination de grandes choses parmi l'ombre et le parfum des forêts qui recouvrent parfois ces blocs mystérieux, l'homme par l'esprit seul suppose là-dessous leur continuité.

Dans les mêmes endroits, de nombreux blocs plus petits attirent son attention. Parsemées sous bois par le temps, d'inégales boules de mie de pierre, pétries par les doigts sales de ce dieu.

Depuis l'explosion de leur énorme aïeul, et de leur trajectoire aux cieux abattus sans ressort, les rochers se sont tus.

Envahis et fracturés par la germination, comme un homme qui ne se rase plus, creusés et comblés par la terre meuble, aucun d'eux devenus incapables d'aucune réaction ne pipe plus mot.

Leurs figures, leurs corps se fendillent. Dans les rides de l'expérience la naïveté s'approche et s'installe. Les roses s'assoient sur leurs genoux gris, et elles font contre eux leur naïve diatribe. Eux les admettent. Eux, dont jadis la grêle désastreuse éclaircit les forêts, et dont la durée est éternelle dans la stupeur et la résignation.

Ils rient de voir autour d'eux suscitées et condamnées tant de générations de fleurs, d'une carnation d'ailleurs quoiqu'on dise à peine plus vivante que la leur, et d'un rose aussi pâle et aussi fané que leur gris. Ils pensent (comme des statues sans se donner la peine de le dire) que ces teintes sont empruntées aux lueurs des cieux au soleil couchant, lueurs elles-mêmes par les cieux essayées tous les soirs en mémoire d'un incendie bien plus éclatant, lors de ce fameux cataclysme à l'occasion duquel projetés violemment dans les airs, ils connurent une heure de liberté magnifique terminée par ce formidable atterrement. Non loin de là, la mer aux genoux rocheux des géants spectateurs sur ses bords des efforts écumants de leurs femmes abattues, sans cesse arrache des blocs qu'elle garde, étreint, balance, dorlote, ressasse, malaxe, flatte et polit dans ses bras contre son corps ou abandonne dans un coin de sa bouche comme une dragée, puis ressort de sa bouche, et dépose sur un bord hospitalier en pente douce parmi un troupeau déjà

above ground level, but the impassive remains of the ancient hero, once truly part of the world.

Busy dreaming of great things in the shadow and scent of the forests which sometimes grow over these mysterious blocks, only in his thoughts does man take their underlying continuity for granted.

In the same places, numerous smaller blocks attract his attention. Scattered about the undergrowth by time, rough chunks of stone crumb kneaded by the grubby fingers of the god.

Since the explosion of their colossal ancestor, and their trajectory across the heavens, beaten back without recourse, the rocks have fallen silent.

Over-run and cracked by germination, like a man who has stopped shaving, hollowed out and filled with loose earth, no longer capable of reacting, not one of them utters a word.

Their faces, their bodies split. Naïveté comes to the wrinkles of experience and settles in. Roses perch on their grey laps and mumble their simple-minded diatribes against them. They let them. They, whose disastrous hail once cleared forests, whose time is for ever, reduced to stupor and resignation.

They laugh to see around them so many generations of flowers raised and condemned, whose carnation moreover, no matter what people say, is hardly more vivid than their own, its roses as pale and faded as their greys. They think (like statues without bothering to mention it) that these hues are borrowed from the sky's sunset gleams, gleams the heavens try on them too every evening in memory of the cataclysm's much brighter fire, which sent them flying in their hour of liberty, magnificently ended by this formidable landing. Not far away, at the stony knees of its shore's giant spectators, beaten back by the foaming efforts of their wives, the sea restlessly rips off blocks that it keeps, hugs, rocks, cuddles, sifts, massages, flatters and polishes in its arms, holding them close or forgetting them like a candied almond in a corner of its mouth, then spitting it out and setting it down on the hospitable ledge of some gentle slope, within reach amongst an already numerous

nombreux à sa portée, en vue de l'y reprendre bientôt pour s'en occuper plus affectueusement, passionnément encore.

Cependant le vent souffle. Il fait voler le sable. Et si l'une de ces particules, forme dernière et la plus infime de l'objet qui nous occupe, arrive à s'introduire réellement dans nos yeux, c'est ainsi que la pierre, par la façon d'éblouir qui lui est particulière, punit et termine notre contemplation.

La nature nous ferme ainsi les yeux quand le moment vient d'interroger vers l'intérieur de la mémoire si les renseignements qu'une longue contemplation y a accumulés ne l'auraient pas déjà fournie de quelques principes.

★

A l'esprit en mal de notions qui s'est d'abord nourri de telles apparences, à propos de la pierre la nature apparaîtra enfin, sous un jour peut-être trop simple, comme une montre dont le principe est fait de roues qui tournent à de très inégales vitesses, quoiqu'elles soient agies par un unique moteur.

Les végétaux, les animaux, les vapeurs et les liquides, à mourir et à renaître tournent d'une façon plus ou moins rapide. La grande roue de la pierre nous paraît pratiquement immobile, et, même théoriquement, nous ne pouvons concevoir qu'une partie de la phase de sa très lente désagrégation.

Si bien que contrairement à l'opinion commune qui fait d'elle aux yeux des hommes un symbole de la durée et de l'impassabilité, l'on peut dire qu'en fait la pierre ne se reformant pas dans la nature elle est en réalité la seule chose qui y meure constamment.

En sorte que lorsque la vie, par la bouche des êtres qui en reçoivent successivement et pour une assez courte période le dépôt laisse croire qu'elle habite, en réalité elle assiste à la désagrégation continue de ce décor. Et voici l'unité d'action qui lui paraît dramatique: elle pense confusément que son support peut un jour lui faillir, alors qu'elle-même se sent éternellement ressuscitable. Dans un décor qui a renoncé à s'émouvoir, et songe seulement à tomber en ruines, la vie s'inquiète et s'agite de ne savoir que ressusciter.

troop, with a view to taking it up again soon so as to lavish ever more affectionate, passionate care on it.

But the wind is howling. It makes the sand blow. And if one of these particles, the final and most infinitesimal form of the object that concerns us, manages to insinuate itself into our eye, just so stone, in its own dazzling style, sanctions and terminates our contemplation.

So nature closes our eyes when it comes time to consider whether our memories, during this long contemplation, may not already have accumulated sufficient data to furnish a few general ideas.

★

To a mind short of ideas which has begun by nourishing itself on such appearances, nature, in the matter of stone, will appear in too elementary a light, like a watch whose mainspring is made up of wheels all going round at different speeds although they are activated by a single motor.

Plant, animal, vapour and water cycles of death and rebirth are more or less rapid. Stone's great wheel seems to us practically stationary, and even in theory, we can hardly conceive of more than a partial phase of its long drawn-out disintegration.

So much so that, contrary to our usual idea of it as a symbol of longevity and impassibility, stone, which is never reborn, is in fact the one thing in nature which is constantly dying.

So when life, in the mouths of those who receive its deposit successively for fairly brief periods, lets on that it envies the indestructible solidity of the decor it inhabits, in reality it is in the presence of the ongoing disintegration of this decor. Hence the unity of action it finds so tragic: it thinks confusedly that its foundation may one day give way, while feeling itself capable of eternal resuscitation.

Il est vrai que la pierre elle-même se montre parfois agitée. C'est dans ses derniers états, alors que galets, graviers, sable, poussière, elle n'est plus capable de jouer son rôle de contenant ou de support des choses animées. Désemparée du bloc fondamental elle roule, elle vole, elle réclame une place à la surface, et toute vie alors recule loin des mornes étendues où tour à tour la disperse et la rassemble la frénésie du désespoir.

Je noterai enfin, comme un principe très important, que toutes les formes de la pierre, qui représentent toutes quelque état de son évolution, existent simultanément au monde. Ici point de générations, point de races disparues. Les Temples, les Demi-dieux, les Merveilles, les Mammouths, les Héros, les Aïeux voisinent chaque jour avec les petits-fils. Chaque homme peut toucher en chair et en os tous les possibles de ce monde dans son jardin. Point de conception: tout existe; ou plutôt, comme au paradis, toute la conception existe.

★

Si maintenant je veux avec plus d'attention examiner l'un des types particuliers de la pierre, la perfection de sa forme, le fait que je peux le saisir et le retourner dans ma main, me font choisir le galet.

Aussi bien, le galet est-il exactement la pierre à l'époque où commence pour elle l'âge de la personne, de l'individu, c'est-à-dire de la parole.

Comparé au banc rocheux d'où il dérive directement, il est la pierre déjà fragmentée et polie en un très grand nombre d'individus presque semblables. Comparé au plus petit gravier, l'on peut dire que par l'endroit où on le trouve, parce que l'homme aussi n'a pas coutume d'en faire un usage pratique, il est la pierre encore sauvage, ou du moins pas domestique.

Encore quelques jours sans signification dans aucun ordre pratique du monde, profitons de ses vertus.

★

True, stone itself sometimes appears agitated. This is in its final stages when as pebbles, gravel, sand, dust, it is no longer capable of acting as a container or support for living things. Torn loose from its bedrock foundation, it tumbles, skitters, clamours for its inch of ground, and all life shrinks back from those gloomy stretches where a despairing frenzy first disperses and then collects it.

Let me note in conclusion as a basic principle that all the forms of stone, each representative of some stage in its evolution, co-exist in the world. Here, no generations, no vanished tribes. Temples, Demi-Gods, Marvels, Mammoths, Heroes, Ancestors daily rub elbows with the grandsons. Each man in his garden can finger the flesh and bone of everything the world has to offer. No conception: everything exists; or rather, as in paradise, all conception exists.

★

If I now wish to examine more closely a particular kind of stone, the perfection of its form, the fact that I can pick it up and turn it over in my hand makes me select a pebble.

Also, a pebble is a stone at the precise moment when its life as a person, an individual, begins, I mean at the stage of speech.

Compared to the bedrock from which it directly derives, it is stone already broken down and polished into a very large number of almost identical individuals. Compared to the tiniest bits of gravel, we may also say, according to where we find it, that because man doesn't generally put it to any practical use, it is stone still in its wild state, or at least undomesticated.

Still a few days of freedom from significance in any practical order of things: let us see what it has to teach us.

★

Apporté un jour par l'une des innombrables charrettes du flot, qui depuis lors, semble-t-il, ne déchargent plus que pour les oreilles leur vaine cargaison, chaque galet repose sur l'amoncellement des formes de son antique état, et des formes de son futur.

Non loin des lieux où une couche de terre végétale recouvre encore ses énormes aïeux, au bas du banc rocheux où s'opère l'acte d'amour de ses parents immédiats, il a son siège au sol formé du grain des mêmes, où le flot terrassier le recherche et le perd.

Mais ces lieux où la mer ordinairement le relègue sont les plus impropres à toute homologation. Ses populations y gisent au su de la seule étendue. Chacun s'y croit perdu parce qu'il n'a pas de nombre, et qu'il ne voit que des forces aveugles pour tenir compte de lui.

Et en effet, partout où de tels troupeaux reposent, ils couvrent pratiquement tout le sol, et leur dos forme un parterre incommode à la pose du pied comme à celle de l'esprit.

Pas d'oiseaux. Des brins d'herbe parfois sortent entre eux. Des lézards les parcourent, les contournent sans façon. Des sauterelles par bonds s'y mesurent plutôt entre elles qu'elles ne les mesurent. Des hommes parfois jettent distraitement au loin l'un des leurs.

Mais ces objets du dernier peu, perdus sans ordre au milieu d'une solitude violée par les herbes sèches, les varechs, les vieux bouchons et toutes sortes de débris des provisions humaines, – imperturbables parmi les remous les plus forts de l'atmosphère, – assistent muets au spectacle de ces forces qui courent en aveugles à leur essoufflement par la chasse de tout hors de toute raison.

Pourtant attachés nulle part, ils restent à leur place quelconque sur l'étendue. Le vent le plus fort pour déraciner un arbre ou démolir un édifice, ne peut déplacer un galet. Mais comme il fait voler la poussière alentour, c'est ainsi que parfois les furets de l'ouragan déterrent quelqu'une de ces bornes du hasard à leurs places quelconques depuis des siècles sous la couche opaque et temporelle du sable.

⋆

Brought in one day on one of the innumerable carts of waves, which from then on, apparently, unload their vain cargo only for the ears, each pebble comes to rest on a heap of its antique and future forms.

Not far from where its enormous ancestors still lie covered in a layer of topsoil, at the foot of the bedrock where its closest relatives still engage in their act of love, it establishes itself on a foundation composed of their seed, where the levelling waves search for it to destroy it.

But the places to which the sea usually relegates it are the most unsuited to any kind of official establishment. Its populations are known only to the wide open spaces. Each individual believes it is lost there, because it has no number, and only blind forces seem to take any note of its existence.

And indeed, everywhere such herds come to rest, they cover almost every inch of available ground, their backs forming a surface upon which it is not easy to set foot or mind.

No birds. Blades of grass poke up between them. Lizards dart across them, skirt them carelessly. Grasshoppers leaping from one to the next take only their own measure. Sometimes men absent-mindedly toss one of them into the offing.

These objects of last resort, randomly dispersed in the midst of a solitude violated by rustling grasses, kelps, old corks and all sorts of human detritus – imperturbable among the atmosphere's strongest swells – look on dumbly as these blind forces run out of breath in their mad dash after everything.

Nothing keeps them there, but still they remain in their drab spots on the shore. Winds which would uproot a tree or demolish a building, can't budge a pebble. Though they do blow the dust around and so it occasionally happens that a hurricane in its fury ferrets one of these chance landmarks out from its dull, centuries-old position under an opaque, temporal layer of sand.

*

Mais au contraire l'eau, qui rend glissant et communique sa qualité de fluide à tout ce qu'elle peut entièrement enrober, arrive parfois à séduire ces formes et à les entraîner. Car le galet se souvient qu'il naquit par l'effort de ce monstre informe sur le monstre également informe de la pierre. Et comme sa personne encore ne peut être achevée qu'à plusieurs reprises par l'application du liquide, elle lui reste à jamais par définition docile.

Terne au sol, comme le jour est terne par rapport à la nuit, à l'instant même où l'onde le reprend elle lui donne à luire. Et quoiqu'elle n'agisse pas en profondeur, et ne pénètre qu'à peine le très fin et très serré agglomérat, la très mince quoique très active adhérence du liquide provoque à sa surface une modification sensible. Il semble qu'elle la repolisse, et panse ainsi elle-même les blessures faites par leurs précédentes amours. Alors, pour un moment, l'extérieur du galet ressemble à son intérieur: il a sur tout le corps l'oeil de la jeunesse.

Cependant sa forme à la perfection supporte les deux milieux. Elle reste imperturbable dans le désordre des mers. Il en sort seulement plus petit, mais entier, et, si l'on veut aussi grand, puisque ses proportions ne dépendent aucunement de son volume.

Sorti du liquide il sèche aussitôt. C'est-à-dire que malgré les monstrueux efforts auxquels il a été soumis, la trace liquide ne peut demeurer à sa surface: il la dissipe sans aucun effort.

Enfin, de jour en jour plus petit mais toujours sûr de sa forme, aveugle, solide et sec dans sa profondeur, son caractère est donc de ne pas se laisser confondre mais plutôt réduire par les eaux. Aussi, lorsque vaincu il est enfin du sable, l'eau n'y pénètre pas exactement comme à la poussière. Gardant alors toutes les traces, sauf justement celles du liquide, qui se borne à pouvoir effacer sur lui celles qu'y font les autres, il laisse à travers lui passer toute la mer, qui se perd en sa profondeur sans pouvoir en aucune façon faire avec lui de la boue.

★

Water, on the other hand, rendering whatever it coats slick, imparting its fluid quality to it, is sometimes able to seduce these forms and bear them off. For the pebble remembers that it was born of the travails of this formless monster on the equally formless monster of stone. And since its person cannot be perfected other than by the repeated application of liquids, it is by definition forever docile beneath it.

Dull on the ground, as day is dull compared to night, the minute the wave takes it up again, it starts to glow. And although the wave doesn't work in depth, only superficially penetrating the extremely fine, tight agglomerate, the very thin but highly active coating of liquid visibly modifies its surface. It seems to buff it all over again, dressing the wounds of their previous loves. Then, for a moment, the pebble's outside resembles its inside: its whole body sparkles with the eye of youth.

Nevertheless, the shape of it is perfectly at ease in both its habitats. In the sea's chaos it remains imperturbable. It comes out somewhat smaller but in one piece and, so to speak, the greater for it, since its proportions in no way depend on its volume.

Once out of the water, it dries off immediately. That is, in spite of the monstrous efforts to which it has been submitted, the liquid leaves not a trace on its surface: it is shaken off effortlessly.

Finally, smaller each day but always keeping its shape, blind, solid and dry in the middle, characteristically it refuses to let itself be confused with, rather than reduced by the waves. Therefore, once it is vanquished and ground to sand, water does not penetrate it in the same fashion as dust. Keeping every impression, except precisely that of water, whose influence is limited to erasing the impressions made by others, it lets the whole sea run through it and off into the deep without ever allowing itself to be turned into mud.

★

Je n'en dirai pas plus, car cette idée d'une disparition de signes me donne à réfléchir sur les défauts d'un style qui appuie trop sur les mots.

Trop heureux seulement d'avoir pour ces débuts su choisir le galet: car un homme d'esprit ne pourra que sourire, mais sans doute il sera touché, quand mes critiques diront: 'Ayant entrepris d'écrire une description de la pierre, il s'empêtra.'

Now I must stop; this thought of signs disappearing makes me reflect on the defects of a style that leans too heavily on words.

Delighted nonetheless to have lighted upon *the pebble* for a start: for although a man of wit may smile, he must still be touched when my critics say: 'Having embarked upon a description of stone, he got dragged down.'

from **PIÈCES / PIECES**

La Barque

La barque tire sur sa longe, hoche le corps d'un pied sur l'autre, inquiète et têtue comme un jeune cheval.

Ce n'est pourtant qu'un assez grossier réceptacle, une cuiller de bois sans manche: mais, creusée et cintrée pour permettre une direction du pilote, elle semble avoir son idée, comme une main faisant le signe couci-couça.

Montée, elle adopte une attitude passive, file doux, est facile à mener. Si elle se cabre, c'est pour les besoins de la cause.

Lâchée seule, elle suit le courant et va, comme tout au monde, à sa perte tel un fétu.

The Boat

The boat tugs at its tether, rocks its body side to side, nervous and headstrong as a young horse.

Though it's nothing but a fairly crude receptacle, a wooden spoon without a handle: but hollowed out and cambered so it can be steered, it seems to have an idea, like a hand that flip-flops, meaning *just so-so*.

Mounted, it assumes a passive stance, behaves itself, is easily led. If it bucks it is for the good of the cause.

Let loose, it drifts with the current and heads like everything else in the world for disaster, a straw in the wind.

Fabri
ou Le jeune ouvrier

Fabri porte une chemise lilas, dont le col échancré, le torse et les manches collantes l'enserrent sans trop de rigueur.

Le front nu, sur ses tempes très fraiches et très polies s'applique une ondulation de cheveux rejetés en arrière, comme deux petites ailes semblables à celles du talon de Mercure.

Il grandit encore beaucoup; à trente-deux ans, il n'est pas adulte.

Il porte à la main droite un petit galet gris et un éclat de brique rose, à la gauche un cabochon d'anthracite, serti de la façon la plus soigneuse dans un anneau de bois blanc.

On l'aperçoit au petit jour, parfois monté sur une bicyclette, dans les environs de la place du Châtelet, où il se mêle à la foule, et se transforme bientôt en l'un quelconque des travailleurs qui s'y pressent à cette heure vers les Halles.

Fabri
or The Young Worker

Fabri sports a lilac shirt, whose open neck, sleek torso and sleeves hug him but not too tightly.

Head bare, at his exceedingly cool and polished temple a wave of hair swept back, appliquéd like the two little wings on Mercury's heel.

He's still growing a lot; thirty-two and still a kid.

On his right hand he wears a small grey pebble and a chip of rose brick, on the left, a stud of anthracite set with great care into a ring of new wood.

You can catch a glimpse of him at daybreak, sometimes up on a bicycle, near the Place du Châtelet, where he's part of the crowd, and soon becomes just one more worker hurrying at this hour towards Les Halles.

Éclaircie en hiver

Le bleu renaît du gris, comme la pulpe éjectée d'un raisin noir.

Toute l'atmosphère est comme un œil trop humide, où raisons et envie de pleuvoir ont momentanément disparu.

Mais l'averse a laissé partout des souvenirs qui servent au beau temps de miroirs.

Il y a quelque chose d'attendrissant dans cette liaison entre deux états d'humeur différente. Quelque chose de désarmant dans cet épanchement terminé.

Chaque flaque est alors comme une aile de papillon placée sous vitre.

Mais il suffit d'une roue de passage pour en faire jaillir de la boue.

Winter Clearing

Blue is reborn from grey, like the spit-out pulp of black grape.

The whole atmosphere is like an over-moist eye, from which the grounds and wish for rain have momentarily evaporated.

But the shower has left mementos everywhere, which mirror the fine weather.

There is something touching about this liaison between two different moods. Something disarming about the end of the outburst.

Now each puddle is like a butterfly wing under glass.

But a single wheel going by makes the mud spurt up.

Le Paysage

L'horizon, surligné d'accents vaporeux, semble écrit en petits caractères, d'une encre plus ou moins pâle selon les jeux de lumière.

De ce qui est plus proche je ne jouis plus que comme d'un tableau,

De ce qui est encore plus proche que comme de sculptures, ou architectures,

Puis de la réalité même des choses jusqu'à mes genoux, comme d'aliments, avec une sensation de véritable indigestion,

Jusqu'à ce qu'enfin, dans mon corps tout s'engouffre et s'envole par la tête, comme par une cheminée qui débouche en plein ciel.

The Landscape

The horizon, ruled with misty accents, appears written in small letters, whose ink is more or less pale depending on the play of light.

What is closer I take pleasure in now only as I would in a painting,

What is closer still only as in sculpture, or architecture,

Then in the utter reality of things right up to my knees, as in foodstuffs, with a feeling of total indigestion,

Till at last, everything gets sucked into my body and flies out my head, as through a chimney, its mouth in the sky.

Les Ombelles

Les ombelles ne font pas d'ombre, mais de l'ombe: c'est plus doux.

Le soleil les attire et le vent les balance. Leur tige est longue et sans raideur. Mais elles tiennent bien en place et sont fidèles à leur talus.

Comme d'une broderie à la main, l'on ne peut dire que leurs fleurs soient tout à fait blanches, mais elles les portent aussi haut et les étalent aussi largement que le permet la grâce de leur tige.

Il en résulte, vers le quinze août, une décoration des bords de routes, sans beaucoup de couleurs, à tout petits motifs, d'une coquetterie discrète et minutieuse, qui se fait remarquer des femmes.

Il en résulte aussi de minuscules chardons, car elles n'oublient aucunement leur devoir.

The Umbels

Umbels don't take umbrage: their shade is gentler.

The sun attracts them and the wind sways them. Their stalk is long and not the least bit stiff. But they stay in their place, faithful to their slope.

Like a hand-worked piece of embroidery, one cannot say their flowers are completely white, but they hold them up as high and spread them out as wide as the stalk's grace will allow.

The result, mid-August or so, is a roadside decoration, without too much colour, of tiny motifs, with a discreet and meticulous coquetry that women remark upon.

The result is also some minuscule thistles, for the umbels never forget where their duty lies.

Le Magnolia

La fleur du magnolia éclate au ralenti comme une bulle formée
lentement dans un sirop à la paroi épaisse qui tourne au caramel.

(À remarquer d'ailleurs la couleur caramélisée des feuilles de cet
arbre.)

À son épanouissement total, c'est un comble de satisfaction
proportionnée à l'importante masse végétale qui s'y exprime.

Mais elle n'est pas poisseuse: fraîche et satinée au contraire,
d'autant que la feuille paraît luisante, cuivrée, sèche, cassante.

The Magnolia

The magnolia flower bursts open in slow motion like a bubble slowly formed in a syrup whose thick sides are caramelizing.

(Note, what's more, the caramel colour of the tree's leaves.)

Fully open, one's satisfaction is boundless, in direct ratio to the considerable vegetable mass which expresses itself therein.

But it isn't sticky: cool and satiny on the contrary, all the more as the leaf looks shiny, coppery, dry, brittle.

Symphonie pastorale

Aux deux tiers de la hauteur du volet gauche de la fenêtre, un nid de chants d'oiseux, une pelote de cris d'oiseaux, une pelote de pépiements, une glande gargouillante cridoisogène,

    Tandis qu'un lamellibranche la barre en travers,

    (Le tout enveloppé du floconnement adipeux d'un ciel nuageux)

    Et que le borborygme des crapauds fait le bruit des entrailles,

    Le coucou bat régulièrement comme le bruit du cœur dans le lointain.

Pastoral Symphony

Two-thirds of the way up the shutter on the left side of the
window, a nest of birdsongs, a woolly ball of bird-calls, pillow of
peepings, a gurgling glandular genero-of-birdcalls,
  While a lamellibranch bars it crosswise,
  (All this wrapped in the adipose fleece of a sky full of clouds)
  And the rumbling of the toads sounds like bowels,
  The cuckoo keeps time like a heartbeat in the distance.

L'Édredon

Méditation sans effort, formée de pensées légères et bouffantes,
sur (et sous) l'édredon

Dans un parallélépipédique sac de soie contenues des millions de plumes, et elles le font bouffer, en raison de la force expansive des plumes.

Plus elles sont jeunes et légères, plus les plumes ont de force expansive: oh ! toujours tres faible, mais elle existe.

Les Américains ont trouvé un moyen de la brimer, en cloisonnant par des piqûres leur enveloppe de soie. Ainsi l'homme couché là-dessous peut-il regarder au-delà de son nez, – ce qui lui semble commode.

Au moins cinquante volatiles dépouillés, et je couche là-dessous, – sans aucun remords.

Défaites-moi, pourtant, ces piqûres, que ces plumes du moins soient a leur aise. D'autant que je ne désire regarder rien au-delà de mon nez.

Si je désirais contempler quelque chose, sans doute serait-ce ces plumes elles-mêmes, si bien cachées.

Les marchands, entre parentheses, ont bien peu d'imagination. Ne serait-ce pas mieux, quelque enveloppe transparente, et les plumes au-dedans toutes blanches, ou de couleurs harmonieusement assorties? N'y a-t-il pas moyen de déposer cette idee ? N'aurait-elle pas, elle aussi, quelque force expansive? Expansive, par la même occasion, du porte-monnaie?

Ou bien alors, épargnez tous ces volatiles! Gonflez-moi quelque enveloppe thermos d'un gaz tiède, dont la chaleur se déperde selon une allure réglée.

Mais sans doute le secret des édredons fait-il leur charme.

Quant à moi, du moins, ce qui m'en a charmé, c'est l'évocation en leur intérieure de ces millions de plumes, sagement au repos,

The Eiderdown

*Effortless meditation, composed of light and puffy thoughts,
on (and under) the eiderdown*

Millions of feathers are contained in a parallelepipedic silk sack,
and they puff it up, because of the expansive power of the feathers.

The younger and lighter they are, the greater the expansiveness
of the feathers: oh! very weak always, but it does exist.

The Americans have found a way to keep them in their place by
stitching walls in the silk envelope. In this way the man underneath
is able to see past the tip of his nose – which strikes him as
convenient.

Some fifty flying objects plucked, and I sleep underneath –
without a twinge of remorse.

Undo me, all the same, this stitching, that the feathers may
at least be at their ease. Especially as I have no desire to look at
anything beyond the tip of my nose.

If I wished to contemplate something, it would, no doubt about
it, be the feathers themselves, so neatly tucked in.

Merchants, by the way, haven't much imagination. Wouldn't
some transparent envelope be better, and the feathers within
all white, or hues harmoniously matched? Is there no way to
trademark this idea? Might it not also have some power of
expansion? Expansive, by the same occasion, of my pocketbook?

Or how about sparing all these birds! Blow me up some sort of
a thermos envelope using some warm gas, which loses its heat at a
constant rate.

But doubtless the secrecy of quilts is what makes them so
charming.

For me, at least, the charm lies in conjuring up the millions of
feathers within them, quietly at rest, despite their light expansive
power, oh! not too demanding, not obstinate, susceptible to

malgré leur légère force expansive, oh! non trop exigeante, pas têtue, susceptible d'arrangement, de compromis: enfin, une force d'expansion philosophe.

Voilà, en dehors de la chaleur qu'il recèle et dispense – et dont c'est d'ailleurs l'origine – la principale qualité méconnue de l'édredon: celle qu'il offre en surplus au contemplateur, en récompense de quelques secondes d'une attention désintéressée.

arrangement, to compromise: in a word, a philosophical force of expansion.

And there you have it, aside from the warmth which it holds and dispenses – which is indeed its origin – the main insufficiently appreciated quality of the eiderdown: that which it offers on top of all the rest to the contemplative, as a reward for a few seconds of disinterested attention.

L'Appareil du téléphone

D'un socle portatif a semelle de feutre, selon cinq mètres de fil de trois sortes qui s'entortillent sans nuire au son, une crustace se décroche, qui gaiement bourdonne . . . tandis qu'entre les seins de quelque sirène sous roche, une cerise de métal vibre . . .

Toute grotte subit l'invasion d'un rire, ses accès argentins, impérieux et mornes, qui comporte cet appareil.

(*Autre*)

Lorsqu'un petit rocher, lourd et noir, portant son homard en anicroche, s'établit dans une maison, celle-ci doit subir l'invasion d'un rire aux accès argentins, impérieux et mornes. Sans doute est-ce celui de la mignonne sirène dont les deux seins sont en même temps apparus dans un coin sombre du corridor, et qui produit son appel par la vibration entre les deux d'une petite cerise de nickel y pendante.

Aussitôt, le homard frémit sur son socle. Il faut qu'on le décroche: il a quelque chose à dire, ou veut être rassuré par votre voix.

D'autres fois, la provocation vient de vous-même. Quand vous y tente le contraste sensuellement agréable entre la légèreté du combiné et la lourdeur du socle. Quel charme alors d'entendre, aussitôt la crustace détachée, le bourdonnement gai qui vous annonce prêtes au quelconque caprice de votre oreille les innombrables nervures électriques de toutes les villes du monde!

Il faut agir le cadran mobile, puis attendre, après avoir pris acte de la sonnerie impérieuse qui perfore votre patient, le fameux déclic qui vous délivre sa plainte, transformée aussitôt en cordiales ou cérémonieuses politesses . . . Mais ici finit le prodige et commence une banale comédie.

The Telephone Appliance

From a movable base soled in felt, at the end of five yards of three different sorts of wire that twist and turn without affecting the sound, a crustacean, gaily buzzing, is picked up . . . while between the breasts of some rock-dwelling siren, a metallic cherry ting-a-lings . . .

Every grotto puts up with the intrusion of the laugh, its silvery fits, imperious and glum, with which this appliance is equipped.

(*Other*)

When a little rock, black and heavy, with its lobster hooked to its back, is installed in the house, the latter is subject to silvery fits of laughter, both imperious and glum. Probably they are that cute siren's whose breasts showed up in a dim corner of the hall at about the same time, and which produces its call by vibrating a small nickel cherry slung between the two.

Right away, the lobster quivers on its base. One must pick it up: it has something to say, or it wants your voice to reassure it.

At other times, you are the source of the provocation. When you are tempted by the sensuously agreeable contrast between the receiver's lightness and the weight of the base. What a delight then to hear, as you pick up the crustacean, the gay buzz which tells you that the innumerable electric nerves of all the cities in the world are ready for your ear's slightest whim.

You must spin the dial, then wait, after having noted the imperious ring which perforates your patient, the famous click which frees you of his moaning, promptly transformed into a cordial or ceremonious exchange of courtesies . . . But here ends prodigy and banal comedy begins.

La Pompe lyrique

Lorsque les voitures de l'assainissement public sont arrivées nuitamment dans une rue, quoi de plus poétique! Comme c'est bouleversant! À souhait! On ne sait plus comment se tenir. Impossible de dissimuler son émotion.

Et si l'on se trouve avec quelque ami, ou fiancée, l'on voudrait rentrer sous terre.

C'est une honte comparable seulement à celle de l'enfant dont on découvre les poésies.

Mais par soi-même comme c'est beau ! Ces lourds chevaux, ces lourdes voitures qui font trembler le quartier comme une sorte d'artillerie, ces gros tuyaux, et ce bruit profond, et cette odeur qui inspirait Berlioz, ce travail intense et quelque peu précipité – et ces aspirations confuses – et ce que l'on imagine à l'intérieur des pompes et des cuves, ô défaillance!

Lyrical Pump and Circumstance

When the public sewage vehicles arrive in a street by night, how poetic! Such agitation! One couldn't ask for more! How to contain oneself! Impossible to hide one's emotion.

And if one happens to be with some friend, or fiancée, one would like to sink into the ground.

One's embarrassment can only be compared to that of a child whose poems are discovered.

But on one's own, what bliss! Those heavy horses, heavy vehicles that make the whole neighbourhood tremble like some sort of artillery, those huge pipes, and that deep sound, and that stench that inspired Berlioz, the tense and somewhat precipitate work – and the confused aspirations – and what one imagines inside the pumps and tanks, O my legs!

Le Gui

Le gui la glu: sorte de mimosa nordique, de mimosa des brouillards. C'est une plante d'eau, d'eau atmosphérique.

Feuilles en pales d'hélice et fruits en perles gluantes.

Tapioca gonflant dans la brume. Colle d'amidon. Grumeaux. Végétal amphibie.

Algues flottant au niveau des écharpes de brume, des traînées de brouillard,

Épaves restant accrochées aux branches des arbres, à l'étiage des brouillards de décembre.

Mistletoe

Gluey globules. A sort of northern mimosa, fog-belt mimosa. This is a water plant, atmospheric water.

Leaves like propeller blades and fruit like viscous pearls.

Tapioca swelling in the mist. Gluey starch. Globs.

Amphibious vegetable.

Algae afloat in shawls of mist, pea-soup vapour trails.

Shipwrecks snagged to the branches of trees, at the low water level of December fogs.

Ode Inachevée à la boue

La boue plaît aux cœurs nobles parce que constamment méprisée.

Notre esprit la honnit, nos pieds et nos roues l'écrasent. Elle rend la marche difficile et elle salit: voilà ce qu'on ne lui pardonne pas.

C'est de la boue! dit-on des gens qu'on abomine, ou d'injures basses et intéressées. Sans souci de la honte qu'on lui inflige, du tort à jamais qu'on lui fait. Cette constante humiliation, qui la mériterait? Cette atroce persévérance !

Boue si méprisée, je t'aime. Je t'aime à raison du mépris où l'on te tient.

De mon écrit, boue au sens propre, jaillis à la face de tes détracteurs!

Tu es si belle, après l'orage qui te fonde, avec tes ailes bleues!

Quand, plus que les lointains, le prochain devient sombre et qu'après un long temps de songerie funèbre, la pluie battant soudain jusqu'à meurtrir le sol fonde bientôt la boue, un regard pur l'adore: c'est celui de l'azur ragenouillé déjà sur ce corps limoneux trop roué de charrettes hostiles, – dans les longs intervalles desquelles, pourtant, d'une sarcelle à son gué opiniâtre la constance et la liberté guident nos pas.

Ainsi devient un lieu sauvage le carrefour le plus amène, la sente la mieux poudrée.

La plus fine fleur du sol fait la boue la meilleure, celle qui se défend le mieux des atteintes du pied; comme aussi de toute intention plasticienne. La plus alerte enfin à gicler au visage de ses contempteurs.

Elle interdit elle-même l'approche de son centre, oblige à de longs détours, voire à des échasses.

Unfinished Ode to Mud

Mud pleases the noble of heart because it is constantly scorned.

Our mind reviles it, our feet and wheels squelch it. It makes walking hard and us dirty: there's what we can't forgive it.

Filth! We say of people we despise, or self-serving, mud-slinging insults. Not caring about the blame we inflict on it, how we wrong it. Who needs such constant humiliation? Atrocious persistence.

Despised mud, I love you. I love you because people scorn you.

May my writing, literal mud, splash the faces of those who disparage you!

You are beautiful, after the storm makes you, with your blue wings!

When, not in the distance but right up close, things grow dark and then, after a period of gloomy reverie driving rain suddenly batters the ground and makes mud, a blissful, pure gaze worships it: that of the sky already on its knees again over this clayey substance so crushed by enemy carts – yet between whose passage and that of a teal stubbornly fording, constancy and liberty shall guide our steps.

This is how the most biddable crossroad, the best-powdered path becomes a savage place.

The finest of soils makes the best mud, that which best withstands pounding feet; as indeed any plastic artist's intentions. The most ready, furthermore, to spurt up into the faces of its detractors.

It wards off any approach to its centre, necessitates long detours, stilts even.

Ce n'est peut-être pas qu'elle soit inhospitalière ou jalouse; car, privée d'affection, si vous lui faites la moindre avance, elle s'attache à vous.

Chienne de boue, qui agrippe mes chausses et qui me saute aux yeux d'un élan importun!

Plus elle vieillit, plus elle devient collante et tenace. Si vous empiétez son domaine, elle ne vous lâche plus. Il y a en elle, comme des lutteurs cachés, couchés par terre, qui agrippent vos jambes; comme des pièges élastiques; comme des lassos.

Ah comme elle tient à vous ! Plus que vous ne le désirez, dites-vous. Non pas moi. Son attachement me touche, je le lui pardonne volontiers. J'aime mieux marcher dans la boue qu'au milieu de l'indifférence, et mieux rentrer crotté que grosjean comme devant; comme si je n'existais pas pour les terrains que je foule . . . J'adore qu'elle retarde mon pas, lui sais gré des détours a quoi elle m'oblige.

Quoi qu'il en soit, elle ne lâcherait pas mes chausses; elle y sécherait plutôt. Elle meurt où elle s'attache. C'est comme un lierre minéral. Elle ne disparaît pas au premier coup de brosse. Il faut la gratter au couteau. Avant que de retomber en poussière – comme c'est le lot de tous les hydrates de carbone (et ce sera aussi votre lot) – si vous l'avez empreinte de votre pas, elle vous a cacheté de son sceau. La marque réciproque . . .

Elle meurt en serrant ses grappins.

La boue plaît enfin aux cœurs vaillants, car ils y trouvent une occasion de s'exercer peu facile. Certain livre, qui a fait son temps, et qui a fait en son temps, tout le bien et tout le mal qu'il pouvait faire (on l'a tenu longtemps pour parole sacrée) prétend que l'homme a été fait de la boue. Mais c'est une évidente imposture, dommageable à la boue comme à l'homme. On la voulait

Not, perhaps, that it is inhospitable or jealous; for, deprived of affection, at the least advance, it attaches itself to you.

Mud dog, clinging to my socks and licking up at me with your annoying enthusiasm!

The older it is, the stickier and more tenacious it gets. Set foot on its domain and it won't let go of you. It has something of the secret wrestler, down for the count, who clamps to your legs; something of the trap, sprung; of the lasso.

Oh, how attached to you it is! More than you wish, you say. Not me. Its attachment touches me, I happily forgive it. I'd rather slog through mud than indifference, rather come home mud-splattered than pin-pricked and deflated; as if I didn't exist for the ground I crossed . . . I love the way it slows my footsteps, I'm grateful for the detours it makes me take.

No matter what, it won't let go of my socks; it'd rather dry there. It dies or it sticks. Like a kind of mineral ivy. No brushing it off. You must scrape it with a knife. Till it turns back to dust – like all carbohydrates (you included) – print it with your foot, it puts its seal on you. The reciprocal mark . . .

　　Tightening its grip it dies.

All in all mud delights the strong of heart, for in it they see a way to test themselves which isn't easy. A certain book, which has been around for a while, and which, in its day, did all the good and bad it was capable of (for a long time it was considered holy writ), claims man was made of mud. But clearly this is nonsense, insulting to man and mud alike. They wanted only to insult man, hoping to cut him down to size, relieve him of his pretensions. But here we speak only to render to each thing its pretension (including man himself). When we speak of man, we speak of man. And when of mud, of mud. They haven't, clearly, much in common. In the way

seulement dommageable à l'homme, fort désireux de la rabaisser, de lui ôter toute prétention. Mais nous ne parlons ici que pour rendre à toute chose sa prétention (comme d'ailleurs à l'homme lui-même). Quand nous parlerons de l'homme, nous parlerons de l'homme. Et quand de la boue, de la boue. Ils n'ont, bien sûr, pas grand-chose de commun. Pas de filiation, en tout cas. L'homme est bien trop parfait, et sa chair bien trop rose, pur avoir été faits de la boue. Quant à la boue, sa principale prétention, la plus évidente, est qu'on ne puisse d'elle rien faire, qu'on ne puisse aucunement l'informer.

Elle passe – et c'est réciproque – au travers des escargots, des vers, des limaces – comme la vase au travers de certains poissons : flegmatiquement.

Assurément, si j'étais poète, je pourrais (on l'a vu) parler des lassos, du lierre, des lutteurs couchés de la boue. Ainsi sécherait-elle alors, dans mon livre, comme elle sèche sur le chemin, en l'état plastique où le dernier embourbé la laisse . . .

Mais comme je tiens à elle beaucoup plus qu'a mon poème, eh bien, je veux lui laisser sa chance, et ne pas trop la transférer aux mots. Car elle est ennemie des formes et se tient à la frontière du non-plastique. Elle veut nous tenter aux formes, puis enfin nous en décourager. Ainsi soit-il! Et je ne saurais donc en écrire, qu'au mieux, à sa gloire, à sa honte, une ode diligemment inachevée . . .

of descendants, in any case. Man is much too perfect, and his flesh too rosy, to have been made of mud. As for mud, its principal and most obvious claim to fame is that one can make nothing of it, one can in no way inform it.

It passes – and vice versa –through snails, worms, slugs – like silt through certain fish: phlegmatically.

To be sure, were I a poet, I could (as we have seen) speak of the lassos, of the ivy, of the fallen wrestlers of mud. In this way it would dry, in my book, as it dries on the road, with the plasticity with which the last stick-in-the-mud leaves it . . .

But since I am fonder of it than of my poem . . . I'll give it a chance, not turn it into words. For it is opposed to forms and remains on the edge of the non-plastic. It tempts us to form, then in the end discourages us. So be it! And I cannot do better, to its glory, to its shame, than to write an ode diligently unfinished . . .

Le Radiateur parabolique

Tout ce quartier quasi désert de la ville où je m'avançais n'était qu'une des encoignures monumentales de sa très haute muraille ouvragée, rosie par le soleil couchant.

À ma gauche s'ouvrait une rue de maisons basses, sèche et sordide mais inondée d'une lumière ravissante, à demi éteinte. À l'angle se dressait, l'arbre un peu de travers, une sorte de minuscule manège pas beaucoup plus haut qu'un petit poirier, où tournaient plusieurs enfants dont l'un vêtu d'un chandail de tricot citron pur.

L'on entendait une musique faite comme par plusieurs violons grattés en cadence, sans mélodie.

De grands événements étaient en l'air, imminents, qui tenaient plutôt à une aventure intellectuelle ou logique qu'à des circonstances d'ordre politique ou militaire.

Attendu à diner par cet écrivain, mon aîné, l'un des princes de la littérature de l'époque, je savais qu'il allait m'apprendre la victoire à jamais de notre famille d'esprits.

J'étais comme un triomphateur, accompagné par ce grattement de violons.

En même temps, je sentais sur mon visage et mes mains la chaleur comme d'un soleil bas mais tout proche, rayonnant, et je me rendis compte, brusquement, que je rêvais, lorsque, décidant de me réveiller, je m'aperçus que je ne pouvais rouvrir les yeux.

Malgré beaucoup d'efforts des muscles des paupières, je ne parvenais pas à les lever. En réalité, comme je le compris plus tard, je me trompais de muscle: j'agissais sur celui de l'œil même, je faisais les yeux blancs sous les paupières.

Cela commençait à tourner au tragique quand soudain, alors que j'avais cessé pour un instant mes efforts, mes paupières s'entrouvrirent d'elles-mêmes, et j'aperçus la spirale ardente du radiateur parabolique installé à proximité de mon fauteuil sur une haute pile de livres, qui m'éclairait.

The Electric Fire

The whole, almost deserted neighbourhood I was walking through was just one of the monumental corners of the city whose intricately worked walls loomed pink in the setting sun.

To my left, a street with low houses, the street dry, sordid but inundated with a ravishing, half-extinguished light. At the corner, axle askew, stood a sort of miniature merry-go-round not much taller than a little pear tree, upon which a handful of children spun, one dressed in a sweater of pure yellow wool.

One could hear music produced as if by a number of violins all being scratched in time, tunelessly.

Big events afoot, imminent, more to do with some intellectual or logical adventure than with political or military circumstances.

Expected for dinner with that writer, an older man, one of the day's literary princes, I knew that he would proclaim the victory for once and for all of those who shared our way of thinking.

I was like a victor, accompanied by this squawking of fiddles.

Simultaneously, on my face and hands I could feel the heat of a low but very close and radiant sun, and suddenly it struck me I was dreaming; deciding to wake up, I found I couldn't open my eyes.

Straining at the muscles of my lids, I was unable to lift them. In reality, I realised later, I'd got the wrong muscles: I was trying to move the eye muscle, rolling my eyeballs behind the lids.

This was growing tragic when suddenly, relaxing a moment, my eyes popped open all by themselves, and I caught sight of the red-hot spiral of the electric heater lighting me from a tower of books next to my chair.

Je m'étais endormi, le porte-plume aux doigts, tenant de l'autre main mon écritoire sur la page vierge duquel il ne me restait plus qu'à consigner ce qui précède, sous ce titre conservé ici pour la fin: 'Sentiment de victoire au déclin du jour, et ses conséquences funestes.'

I'd dozed off, pen in one hand, pad in the other, on whose white page it remained only to consign the above, under the title, kept for the end: 'Sensation of victory at the end of the day, and dire consequences thereof.'

La Gare

Il s'est formé depuis un siècle dans chaque ville ou bourg de
quelque importance (et beaucoup de villages, de proche en proche,
se sont trouvés atteints par contagion),

Un quartier phlegmoneux, sorte de plexus ou de nodosité
tubéreuse, de ganglion pulsatile, d'oignon lacrymogène et
charbonneux,

Gonflé de rires et de larmes, sali de fumées.

Un quartier matineux, où l'on ne se couche pas, où l'on passe les
nuits.

Un quartier quelque peu infernal où l'on salit son linge et
mouille ses mouchoirs.

Où chacun ne se rend qu'en des occasions précises, qui engagent
tout l'homme, et même le plus souvent l'homme avec sa famille,
ses hardes, ses bêtes, ses lares et tout son saint-frusquin.

Où les charrois de marchandises ailleurs plutôt cachés sont
incessants, sur des pavés mal entretenus.

Où les hommes et les chevaux en long ne sont qu'à peine
différenciés et mieux traités que les ballots, bagages et caisses de
toute sortes.

Comme le nœud d'une ganse où se nouent et dénouent, d'où
partent et aboutissent des voies bizarres, à la fois raides et souples,
et luisantes, où rien ne peut marcher, glisser, courir ou rouler sinon
de longs, rapides et dangereux monstres tonnants et grinçants,
parfois gémissants, hurlants ou sifflants, composés d'un matériel
de carrosserie monstrueusement grossier, lourd et compliqué, et
qui s'entourent de vapeurs et de fumées plus volumineuses par les
jours froids, comme celles des naseaux des chevaux de postes.

Un lieu d'efforts maladroits et malheureux, où rien ne s'accomplit
sans grosses difficultés de démarrage, manœuvre et parcours,

The Station

In the past century in every city or town of any size (and many villages have gradually been affected by contagion), has formed

A phlegmonous district, a sort of plexus or tuberous node, a throbbing ganglion, a teary and sooty onion,

Puffed up with laughter and tears, begrimed with fumes.

An early-bird district, where people don't sleep, where people spend nights.

A fairly infernal district where shirts go grey and handkerchiefs damp.

Where people go only on special occasions, that involve the whole man, and even man and his family, his tatters and rags, his beasts, household gods, the whole kit and caboodle.

Where the cartage of goods, elsewhere hidden, never stops, over ill-kept cobblestones.

Where men and horses, however you look at them, can scarcely be told apart and are no better treated than bundles, bags and crates of all sorts.

Like the knot in a braid which gets tied and untied where strange tracks, both rigid and supple, and glistening, depart and end up, where nothing moves, glides, runs or rolls save the long, fast, dangerous monsters, thundering and squealing, sometimes moaning, shrieking or whistling, built of monstrously crude, unwieldy and complex casing, and which surround themselves with steam and fumes, more voluminous in the cold like the steam from the nostrils of post-horses.

A place of wretchedly clumsy efforts, where nothing gets done without huge difficulty starting up, manoeuvring and en route, without a forge-like or thunderous din, grinding, scraping: where nothing is easy, smooth, clean, at least so long as the system hasn't

sans bruits de forge ou de tonnerre, raclements, arrachements: rien d'aisé, de glissant, de propre, du moins tant que le réseau n'a pas été électrifié; où tremblent et à chaque instant menacent de s'écrouler en miettes les verrières, buffets à verrerie, lavabo à faïences ruisselantes et trous malodorants, petites voitures, châsses à sandwiches et garde-manger ambulants, lampisteries où se préparent, s'emmaillotent, se démaillotent, se mouchent et se torchent dans la crasse de chiffons graisseux les falots, les fanaux suintants, les lumignons, les clignotantes, les merveilleuses étoiles multicolores, – et jusqu'au bureau du chef de gare, cet irritable gamin:

C'est LA GARE, avec ses moustaches de chat.

been electrified; where every second the glasswork of roofs and cafés, washbasins, their faience tile oozing, and stink-holes, little wagons, niches for sandwiches and food-on-wheels, shake and threaten to shatter, shops where lamp-men coddle, wrap and unwrap, wipe noses and bottoms on the grease of dirty rags, the hand lanterns, the sooty headlights, the small lights, the blinking lights, the wonderful rainbow-tinted stars – and even the office of the station master, that bad-tempered brat:

This is THE STATION, with its cat's whiskers.

La Lessiveuse

PRISE A PARTIE.
RAPPORTS DE L'HOMME ET DE LA LESSIVEUSE.
LYRISME QUI S'EN DÉGAGE.
CONSIDÉRATIONS À FROID.
PRINCIPE DE LA LESSIVEUSE.
LE CRÉPUSCULE DU LUNDI SOIR.
RINÇAGE A L'EAU CLAIRE.
PAVOIS.

Pour répondre au vœu de plusieurs, qui me pressent curieusement
d'abandonner mes espèces favorites (herbes ou cailloux, par
exemple) et de montrer enfin un homme, je n'ai cru pourtant
pouvoir mieux faire encore que de leur offrir une lessiveuse, c'est-
a-dire un de ces objets dont, bien qu'ils se rapportent directement
à eux, ils ne se rendent habituellement pas le moindre compte.

Et certes, quant à moi, j'ai bien pu concevoir d'abord qu'on ne
doive en finir jamais avec la lessiveuse: d'autres objets pourtant
me sollicitèrent bientôt – dont je n'eusse pas sans remords non
plus subi les muettes instances longtemps. Voilà comment la
lessiveuse, fort impatiemment écrite, s'est trouvée presque aussitôt
abandonnée.

Qu'importe – si jaillit un instant sur elle l'étincelle de la
considération . . .

Qui n'a vécu un hiver au moins dans la familiarité d'une lessiveuse
ignore tout d'un certain ordre de qualités et d'émotions fort
touchantes, – dont un porte-plume bien manié toutefois doit
pouvoir communiquer quelque chose.

Mais il ne suffit pas, assis sur une chaise, de l'avoir contemplée
très souvent.

The Washpot

TAKING TO TASK.
RELATIONSHIP BETWEEN MAN AND THE WASHPOT.
LYRICAL FUMES.
LESS HEATED CONSIDERATIONS.
PRINCIPLE OF THE WASHPOT.
NIGHTFALL MONDAY.
RINSE CYCLE.
BANNERS.

In response to the wishes of many who, to my surprise, urge me to give up my favourite species (grass or stones, for example) and show a man at last, I have not thought I could do better than give them a wash boiler, that is, one of those objects which, though they are closely connected with them, they usually pay not the least attention to.

I myself might think one should never be done with the wash boiler: yet other objects will soon solicit me – whose mute appeals I should not without remorse suffer for long. So now you know: how the wash boiler, written with much impatience, found itself as promptly set aside.

And so what? – if the spark of consideration flares up over it an instant.

Anyone who hasn't spent at least one winter in the company of a wash boiler knows nothing of a certain order of highly touching qualities and emotions – which an accomplished pen-pusher should, you'd think, be able to communicate something of.

But it isn't enough to have studied it frequently while sitting in a chair.

Il faut – bronchant – l'avoir, pleine de sa charge de tissus immondes, d'un seul effort soulevée de terre pour la porter sur le fourneau – où l'on doit la traîner d'une certaine façon ensuite pour l'asseoir juste au rond du foyer.

Il faut avoir sous elle attisé les brandons à progressivement l'émouvoir, souvent tâté ses parois tièdes ou brûlantes; puis écouté le profond bruissement intérieur, et plusieurs fois dès lors soulevé le couvercle pour vérifier la tension des jets et la régularité de l'arrosage.

Il faut l'avoir enfin toute bouillante encore embrassée de nouveau pour la reposer par terre . . .

Peut-être à ce moment l'aura-t-on découverte. Et quel lyrisme alors s'en dégage, en même temps que les volumineuses nuées qui montent d'un coup heurter le plafond, pour y perler bientôt . . . et ruisseler de façon presque gênante ensuite tout au long des murs du réduit :

> *Si douces sont aux paumes tes cloisons . . .*
> *Si douces sont tes parois où se sont*
> *Déposés de la soude et du savon en mousse . . .*
> *Si douce à l' œil ta frimousse estompée,*
> *De fer battu et toute guillochée . . .*
> *Tiède ou brulante et toute soulevée*
> *Du geyser intérieur qui bruit par périodes*
> *Et se soulage au profond de ton être . . .*
> *Et se soulage au fond de ton urne bouillante*
> *Par l'arrosage intense des tissus . . .*
>
> . . . .

Retirons-la, elle veut refroidir . . . Pourtant ne fallait-il d'abord – tant bien que mal comme sur son trépied – tronconiquement au milieu de la page dresser ainsi notre lessiveuse ?

It is necessary – with a grunt – to have heaved it, sloshing with soiled fabrics, off the ground and borne it to the stove – where one must tug this way and that till it is sitting right on top of the firebox.

Underneath it one needs to have fanned the flames so as to set it in motion, touched its warm or burning sides often; next listened to the deep inner hum, from then on to have raised the lid from time to time to check the tension of the spurts and the regularity of the wettings.

Finally, it is necessary to have embraced it once again, boiling hot, and set it back on the ground . . .

Maybe at this point one has discovered it. And then, what lyricism it exudes, along with the thick clouds that suddenly billow up and hit the ceiling – soon to bead it . . . next to stream annoyingly, almost, down the walls of the little back room:

> *So soft your partitions to my palms . . .*
> *So slick your walls upon which*
> *Soapsuds and lime have been deposited . . .*
> *So soft to my gaze your little blurry face,*
> *Of iron all beaten and guilloched . . .*
> *Lukewarm or boiling and all stirred up*
> *With the inner geyser that now and then murmurs*
> *And relieves itself in the depths of your being . . .*
> *And relieves itself at the bottom of your boiling urn*
> *Dousing the tissues . . .*

> . . . .

Pull it off, it needs to simmer down . . . still, didn't we need – as best we could, like it on its tripod – to first stand our truncated cone of a wash boiler just so in the middle of the page?

Mais à présent c'est à bas de ce trépied, et même le plus souvent reléguée au fond de la souillarde, – c'est froide à présent et muette, rincée, tous ces membres épars pour être offerts à l'air en ordre dispersé, – que nous allons pouvoir la considérer . . . Et peut-être ces considérations à froid nous rapprocheront-elles de son principe: du moins reconnaîtrons-nous aussitôt qu'elle n'est pas en cet état moins digne d'intérêt ni d'amour.

Constatons-le d'abord avec quelque respect, c'est le plus grand des vases ménagers. Important mais simple. Noble mais fruste. Pas du tout plein de son importance, plein par contre de son utilité.

Sérieuse – et martelée de telle façon qu'elle a sur tout le corps des paupières mi-closes. Beaucoup plus modeste que le chaudron à confitures, par exemple – lequel, pendant ses périodes d'inactivité, fort astiqué, brillant, sert de soleil à la cuisine, constitue son pôle d'orgueil. Ni rutilante, ni si solennelle (bien qu'on ne s'en serve pas non plus tous les jours), l'on ne peut dire qu'elle serve jamais d'ornement.

Mais son principe est beaucoup plus savant. Fort simple tout de même, et tout à fait digne d'admiration.

Certes, je n'irai pas jusqu'à prétendre que l'exemple ou la leçon de la lessiveuse doive à proprement parler galvaniser mon lecteur – mais je le mépriserais un peu sans doute de ne pas la prendre au sérieux.

Brièvement voici:

La lessiveuse est conçue de telle façon qu'emplie d'un amas de tissus ignobles l'émotion intérieure, la bouillante indignation qu'elle en ressent, canalisée vers la partie supérieure de son être retombe en pluie sur cet amas de tissus ignobles qui lui soulève le cœur – et cela quasi perpétuellement – et que cela aboutisse à une purification.

Nous voici donc enfin en plein cœur du mystère. Le crépuscule tombe sur ce lundi soir. Ô ménagères! Et vous, presque au terme

But now it's at the foot of this tripod, and even oftener relegated to the back of the scullery – now it is cold and mute, rinsed, all its bits and pieces spread out to air – that we shall be able to study it . . . And perhaps these cooler considerations will draw us closer to its principle: at the very least we shall see that it is not in this state any less worthy of interest or love.

Observe first of all, with some respect, that it's the most capacious of the domestic vessels. Imposing but simple. Noble but crude. Not at all full of its own importance, quite the contrary, full of its utility.

Serious – and hammered all over in such a way that its body blinks with half-closed eyelids. So much modester than the copper kettle for making jam, for instance – which, during its periods of inactivity, polished, gleaming, serves as a sun for the kitchen, constitutes its own pole of pride. Neither rutilant, nor so solemn (though it doesn't get used every day either), you can't say it's never decorative.

But its principle is far cleverer. Extremely simple, all the same, and utterly admirable.

I shan't go so far as to pretend that the example or the lesson of the wash boiler ought so to speak to galvanise my reader – but I suppose I should be slighting it somewhat if I didn't take it seriously.

Here in brief you have it:

The wash boiler is so conceived that, filled with a plug of filthy rags, the inner emotion, the boiling indignation it feels, conducted towards the higher part of its being, rains back down on this disgusting mound of rags which turn its stomach – and this on and on and on – and the outcome is a purification.

And here we come to the heart of the mystery. Dusk falls on this Monday evening. O housewives! And you, coming to the end of your study, your back aches! Still, from having worked yourself

de votre étude, vos reins sont bien fatigués! Mais d'avoir ainsi potassé tout le jour (quel démon m'oblige à parler ainsi ?) voyez comme vos bras sont propres et vos main pures fanées par la plus émouvante des flétrissures!

Dans cet instant, je ne sais comment je me sens tenté – plaçant mes mains sur vos hanches chéries – de les confondre avec la lessiveuse et de transférer à elles toute la tendresse que je lui porte: elles en ont l'ampleur, la tiédeur, la quiétude – si quelque chose me dit qu'elles peuvent aussi être le siège de secrètes et bouillantes ardeurs.

. . . Mais le moment n'est pas venu sans doute d'en détacher encore ce tablier d'un bleu tout pareil à celui du noble ustensile: car vous voilà derechef débridant le robinet. Et vous nous proposez ainsi l'exemple de l'héroïsme qui convient: oui, c'est à notre objet qu'il faut revenir encore; il faut une fois encore rincer à l'eau claire notre idée:

Certes le linge, lorsque le reçut la lessiveuse, avait été déjà grossièrement décrassé. Elle n'eut pas contact avec les immondices eux-mêmes, par exemple avec la morve séchée en crasseux pendentifs dans les mouchoirs.

Il n'en resta pas moins qu'elle éprouve une idée ou un sentiment de saleté diffuse des choses à l'intérieur d'elle-même, dont à force d'émotion, de bouillonnements et d'efforts, elle parvint à avoir raison – à séparer des tissus : si bien que ceux-ci, rincés sous une catastrophe d'eau fraîche, vont paraître d'une blancheur extrême . . .

Et voici qu'en effet le miracle s'est produit :

Mille drapeaux blancs sont déployés tout à coup – qui attestent non d'une capitulation, mais d'une victoire – et ne sont peut-être pas seulement le signe de la propreté corporelle des habitants de l'endroit.

100

into a lather all day (what the devil makes me talk this way?) see how clean your arms are and your pure hands puckered by the most touching of wrinkles!

This is when, I don't know how, I'm tempted – taking your dear hips in my hands – to confuse them and the wash boiler, and to them transfer all the tenderness I feel: they have the same fullness, warmth, calm – though something tells me they too are prone to froth with secret passions.

. . . But I guess it is not yet time to untie this apron whose blue is the same blue as the noble utensil: for there you go unbridling the tap again. You are a model of heroism for the occasion: yes, we must return to our object: once again we need to rinse our idea in clear water:

True, the linens, when the boiler received them, had had the worst of their soil loosened. It didn't come in contact with the filth itself, with the strings of dried snot, for example, stuck to the handkerchiefs.

All the same it has an idea or a sense of the diffuse dirtiness of what's inside it, which by dint of emotion, seething and exertions, it manages to overcome – to remove the spots from the fabrics: so that these, flushed in a catastrophe of cool water, appear white in the extreme . . .

And here's where the miracle took place:

Myriad white flags are suddenly deployed – which mark, not a capitulation, but a victory – and maybe they aren't the sign of just the bodily cleanness of this place's inhabitants.

Le Vin

Le rapport est le même entre un verre d'eau et un verre de vin qu'entre un tablier de toile et un tablier de cuir.

Sans doute est-ce par le tanin que le vin et le cuir se rejoignent.

Mais il y a entre eux des ressemblances d'une autre sorte, aussi profondes: l'écurie, la tannerie ne sont pas loin de la cave.

Ce n'est pas tout à fait de sous terre qu'on tire le vin, mais c'est quand même du sous-sol : de la cave, façon de grotte.

C'est un produit de la patience humaine, patience sans grande activité, appliquée à une pulpe douceâtre, trouble, sans couleur franche et sans tonicité.

Par son inhumation et sa macération dans l'obscurité et l'humidité des caves ou grottes, du sous-sol, l'on obtient un liquide qui a toutes les qualités contraires: un véritable rubis sur l'ongle.

Et, à ce propos, je dirais quelque chose de ce genre d'industrie (de transformation) qui consiste à placer la matière au bon endroit, au bon contact . . . et à attendre.

Un vieillissement de tissus.

Le vin et le cuir sont à peu prés du même âge.

Des adultes (déjà un peu sur le retour).

Ils sont deux du même genre : moyenne cuirasse.

Tous deux endorment les membres à peu près de la même façon. Façon lente.

Par la même occasion, ils libèrent l'âme (?). Il en faut une certaine épaisseur.

L'alcool et l'acier sont d'une autre trempe; d'ailleurs incolores. Il en faut moins.

Wine

Between a glass of water and a glass of wine the same rapport as between a cotton apron and leather apron.

Tannin, no doubt, is what wine and leather have in common.

But between them are other resemblances, equally deep: stable and tannery are not far from the cellar.

One does not really draw wine from underground; still, it's from below ground: from the cellar, a kind of grotto.

It is a product of human patience, patience and not much activity, applied to a sweetish cloudy pulp, wishy-washy in colour and lacking punch.

From its inhumation and maceration in the moist dark of cellars or caves, from the cellar hole, one obtains a liquid exactly the opposite: a veritable ruby at the tips of your fingers.

And, while I am on the subject, I shall say something about this sort of industry (of transformation) which consists in putting one's materials in the right place, in close contact with . . . and waiting.

An ageing of tissues.

Wine and leather are nearly the same age.

Adults (already a little past their prime).

They are two of a kind: averagely thick-skinned.

Both put one's arms and legs to sleep in more or less the same way. Slowly. At the same time, they free the mind (?). A certain depth is required.

Alcohols and steel are tempered differently; colourless, moreover. It takes less of them.

Le bras verse au fond de l'estomac une flaque froide, d'où s'élève aussitôt quelque chose comme un serviteur dont le rôle consisterait à fermer toutes les fenêtres, à faire la nuit dans la maison; puis à allumer la lampe.

À enclore le maître avec son imagination.

La dernière porte claquée résonne indéfiniment et, dès lors, l'amateur de vin rouge marche à travers le monde comme dans une maison sonore, où les murs répondent harmonieusement à son pas,

Où les fers se tordent comme des tiges de liseron sous le souffle émané de lui, où tout applaudit, tout résonne d'applaudissement et de réponse à sa démarche, son geste et sa respiration.

L'approbation des choses qui s'y enlacent alourdit ses membres. Comme le pampre enlace un bâton, un ivrogne un réverbère, et réciproquement. Certainement, la croissance des plantes grimpantes participe d'une ivresse pareille.

Ce n'est pas grand'chose que le vin. Sa flamme pourtant danse en beaucoup de corps au milieu de la ville.

Danse plutôt qu'elle ne brille. Fait danser plus qu'elle ne brûle ou consume.

Transforme les corps articulés, plus ou moins en guignols, pantins, marionnettes.

Irrigue chaleureusement les membres, animant en particulier la langue.

Comme de toutes choses, il y a un secret du vin; mais c'est un secret qu'il ne garde pas. On peut lui faire dire: il suffit de l'aimer, de le boire, de le placer à l'intérieur de soi-même. Alors il parle.

En toute confiance, il parle.

Tandis que l'eau garde mieux son secret; du moins est-il beaucoup plus difficile à déceler, à saisir.

Into the pit of the stomach, the arm pours a cool puddle, and out pops something like a servant whose job is to close all the windows, and darken the house for the night: then light the lamp.

Shut the master up with his imagination The bang of the last door goes on resounding, then the amateur of red wine walks the world as if through a resonant house, in which the walls respond harmoniously to his footsteps,

In which iron bends like the stems of convolvulus when he breathes on them, in which everything applauds, everything rings with applause and the sound of his feet, his gestures and his respiration.

The approval of things enlacing each other weighs on his limbs. The way the vine embraces a stick, the drunk a lamppost, and vice versa. Surely the growth of climbing plants has something in common with such intoxication.

It's just wine. Yet its flame dances in many bodies in the city.

Dances rather than sparkles. Makes dance rather than burns or consumes.

Changes articulated bodies into clowns, more or less, puppets, marionettes.

Bathes limbs with warmth, quickens, above all, the tongue.

As with everything, wine has a secret; but it's a secret it doesn't keep.

One can make it tell: all one needs is to love it, to drink it, to put it inside of one. Then it speaks.

Confidently, it speaks.

Whereas water keeps its secret better; or at least it's much more difficult to detect, to grasp.

La Cruche

Pas d'autre mot qui sonne comme cruche. Grace à cet U qui s'ouvre en son milieu, cruche est plus creux que creux et l'est à sa façon. C'est un creux entouré d'une terre fragile: rugueuse et fêlable à merci.

Cruche d'abord est vide et le plus tôt possible vide encore.

Cruche vide est sonore.

Cruche d'abord est vide et s'emplit en chantant.

De si peu haut que l'eau s'y précipite, cruche d'abord est vide et s'emplit en chantant.

Cruche d'abord est vide et le plus tôt possible vide encore.

C'est un objet médiocre, un simple intermédiaire.

Dans plusieurs verres (par exemple) alors avec précision la repartir.

C'est donc un simple intermédiaire, dont on pourrait se passer. Donc, bon marché; de valeur médiocre.

Mais il est commode et l'on s'en sert quotidiennement.

C'est donc un objet utile, qui n'a de raison d'être que de servir souvent.

Un peu grossier, sommaire; méprisable? – Sa perte ne serait pas un désastre . . .

La cruche est faite de la matière la plus commune; souvent de terre cuite.

Elle n'a pas les formes emphatiques, l'emphase des amphores.

C'est un simple vase, un peu compliqué par une anse; une panse renflée; un col large – et souvent le bec un peu camus des canards.

Un objet de basse-cour. Un objet domestique.

La singularité de la cruche est donc d'être à la fois médiocre et fragile: donc en quelque façon précieuse. Et la difficulté, en ce qui la concerne, est qu'on doive – car c'est aussi son caractère – s'en servir quotidiennement.

The Jug

No other word has the ring of a jug. Thanks to the U that opens in the middle of it, jug is hollower than hollow, and in its own way. It is a hollow surrounded by fragile earth: roughcast and easy to crack.

Jug is first empty and as soon as possible empty again.
    Empty jug is resonant.
    Jug is first empty and filled up with song.
    So shallow that water rushes into it, jug is first empty and filled up with song.

Jug is first empty and as soon as possible empty again.
    It is an indifferent sort of object, a mere go-between.
    Among a few glasses (for example) with care share it out.
    It is therefore but a go-between, which we could get along without. Hence cheap; of middling worth.

But it comes in handy and is used every day.
    A workaday object, whose only reason to exist is to be used a lot.
    A little rough, succinct; despicable? – Its loss would not be a disaster . . .
    The jug is made of the commonest materials; often of pottery.
    It doesn't have the bombastic form, the emphasis of amphorae.
    It is a mere vase, slightly compounded by a handle; a pot belly; a wide neck – and often the bluntish beak of a duck.
    A farmyard object. A domestic object.

So the particularity of the jug is to be both poor and fragile: so somehow precious. And the problem with it is that one must – for such is also its character – use it every day.

Il nous faut saisir cet objet médiocre (un simple intermédiaire, de peu de valeur, bon marché), le placer en pleine lumière, le manier, faire jouer; nettoyer, remplir, vider.

Tant va la cruche à l'eau qu'à la fin elle casse. Elle périt par usage prolongé. Non par usure: par accident. C'est-à-dire, si l'on préfère, par l'usure de ses chances de survie.

C'est un ustensile qui périt par une sorte particulière d'usure: l'usure de ses chances de survie.

Ainsi la cruche, qui a un caractère un peu simple et plutôt gai, périt par usage prolongé.

Certaines précautions sont donc utiles pour ce qui la concerne. Il nous faut l'isoler un peu, qu'elle ne choque aucune autre chose. L'éloigner un peu des autres choses.

Pratiquer avec elle un peu comme le danseur avec sa danseuse. En rapports avec elle, faire preuve d'une certaine prudence, éviter de heurter les couples voisins.

Pleine elle peut déborder, vide elle peut casser.

Il ne faut pas, non plus, la reposer brusquement . . . lui laisser trop peu de champ libre.

Voilà donc un objet dont il faut nous servir quotidiennement, mais à propos duquel, malgré son côté bon marché, il nous faut pourtant calculer nos gestes. Pour le maintenir en forme et qu'il n'éclate pas, ne s'éparpille pas brusquement en morceaux absolument sans intérêt, navrants et dérisoires.

Certains, il est vrai, pour se consoler, s'attardent – et pourquoi pas? –auprès des morceaux d'une cruche cassée: notant qu'ils sont convexes . . . et même crochus . . . pétalliformes . . . , qu'il y a parenté entre eux et les pétales des roses, les coquilles d'œufs . . . Que sais-je ?

Mais n'est-ce pas une dérision?

Car tout ce que je viens de dire de la cruche, ne pourrait-on le dire, aussi bien, des *paroles*?

We must take hold of this poor thing (a mere go-between, worthless, cheap), place it in the light of day, handle it, make use of it; clean, fill, empty.

The jug goes so often to water that in the end it breaks. It perishes of long use. Not from wear: by accident. That is, if you like, by wearing out its chances of survival.

It is a utensil that perishes from a special kind of wear: by wearing out its chances of survival.

So the jug, which has a simple, cheerful personality, perishes of long use.

One is advised to handle it with care. Put it where it won't bang into things. Leave some space between it and the other things.

Treat it as a dancer his partner. When right up close, be prudent, avoid hitting nearby couples.

Full, it may overflow, empty it may break.

Don't bang it down . . . don't give it too little room.

So this is an object that we use day in day out, but with regard to which, in spite of its cheapness, we must take care how we move about. To keep it in shape, so it doesn't break, go to pieces suddenly, devoid of interest, heartrending and derisory.

It is true some people, to console themselves, linger – and why not? – over the pot shards: noting that they are convex . . . crooked even . . . petaliform . . . that there is a kinship with rose petals, egg shells . . . Who's to say?

But is this not a kind of mockery?

For everything I've just said of the jug, couldn't one say equally well about *words*?

Les Olives

Olives vertes, vâtres, noires.

L'olivâtre entre la verte et la noire sur le chemin de la carbonisation. Une carbonisation en douce, dans l'huile – ou s'immisce alors, peut-être, l'idée du rancissement.

Mais . . . est-ce juste?

Chaque olive, du vert au noir, passe-t-elle par l'olivâtre? Ou ne s'agit-il plutôt, chez aucunes, d'une sorte de maladie?

Cela semble venir du noyau, qui tenterait, assez ignoblement alors, d'échanger un peu de sa dureté contre la tendresse de la pulpe . . . Au lieu de s'en tenir à son devoir ; qui est, tout au contraire, non de durcir la pulpe (sous aucun prétexte!), mais contre elle de se faire de plus en plus dur . . . Afin de la décourager au point qu'elle se décompose . . . et lui permette, à lui, de gagner le sol, – et de s'y enfoncer. Libre à lui, alors (mais alors seulement), de se détendre: s'entrouvrir . . . et germer.

Quoi qu'il en soit, l'accent circonflexe se lit avec satisfaction sur olivâtre. Il s'y forme comme un gros sourcil noir sous lequel aussitôt quelque chose se pâme, tandis que la décomposition se prépare.

Mais quand l'olive est devenue noire, rien ne l'est plus brillamment. Quelle merveille, ce côté flétri dans la forme . . . Mais savoureuse au possible, et poli mais non trop, sans rien de tendu.

Meilleur suppositoire de bouche encore que le pruneau.

Après en avoir fini de ces radotages sur la couleur de la pulpe et sa forme, venons-en au principal – plus sensible à sucer le noyau – qui est la proximité d'*olive* et d'*ovale*.

Olives

Green olives, drab, black.

Olive-drab between green and black on the way to carbonisation. A gentle carbonisation, in oil – at which point, perhaps, the idea of rancidity comes in.

But . . . is this fair?

Does each olive, from green to black, go through an olive-drab stage? Or is it rather, for some, a sort of disease?

It seems to come from the pit, trying, it seems – lowdown trick – to exchange a little of its toughness for the tenderness of the pulp . . . Instead of just doing its duty; which is, quite the contrary, not to harden the pulp (in no way!) but to harden itself against it . . . Discourage it until it comes undone . . . permitting it, him I mean, to gain ground – and burrow in. Then (and only then) it may, should it desire, rest, crack open . . . and sprout.

Be that as it may, the circumflex over *olivâtre* is satisfying to read. It crooks like a big black eyebrow under which something promptly swoons, ready to go to pieces.

But when the olive turns black, nothing is more dazzling. What a marvel, the shrivelled-ness of it . . . But tasty as can be, and polite, without overdoing it, no stiffness.

Even better as a mouth suppository than the prune.

Enough of this drivel about the pulp's colour and shape, let's get to the heart of this – more noticeable when you suck on the stone – which is the proximity of *olive* and *oval*.

Voila une proximité fort bien jouée, et comme naïve.

Quoi de plus naïf au fond qu'une olive?

Gracieuses et prestes dans l'entregent, elles ne font pas pour autant les sucrées, comme ces autres jeunes filles: les dragées . . . les précieuses!

Plutôt amères à vrai dire. Et peut-être faut-il les traiter d'une certaine façon pour les adoucir: les laisser mariner un peu.

Mais d'ailleurs, ce qu'on trouve enfin au noyau, ce n'est pas une amande: une petite balle; une petite torpille d'un bois très dur, qui peut à l'occasion pénétrer facilement jusqu'au cœur . . .

Non! N'exagérons rien! Sourions-en plutôt (d'un côté du moins de la bouche), pour la poser bientôt sur le bord de l'assiette . . .

. . . Voilà qui est tout simple. Ni de trop bon ni de trop mauvais goût . . . Qui n'exige pas plus de perfection que je ne viens d'y mettre . . . et peut plaire pourtant, plaît d'habitude à tout le monde, comme hors-d'œuvre.

A well-played proximity, naïve, almost.

What could be more naïve at bottom than an olive?

Gracious and quick go-between, and no sucralose simperings, like those other girls: the sugar-coated almonds . . . the precious ones!

Rather bitter, in fact. Perhaps they need some special treatment to soften them up: let them stew in their own juice a while.

Now that I think of it, what you get inside is not an almond: a little bullet; a small torpedo of extra tough wood, which can at times penetrate without difficulty right to the heart . . .

No! Let's not exaggerate! Take it with a smile (somewhat askew), soon to be set on the edge of the plate . . .

. . . There, that's simple. In not too good nor too bad taste . . . No more primping needed . . . and which may still please, usually pleases everyone, as an hors d'oeuvre.

Le Volet, suivi de sa scholie

Volet plein qui bat le mur, c'est un drôle d'oiseau qu'un volet. Qui ne s'envole mie. Et se désarticule-t-il ? Non. Il s'articule. Et crie. Par les gonds de son aile unique rectangulaire. Et s'assomme comme un battoir sur le mur.

Un drôle d'oiseau cloué. Cloué par son profil, ce qui est plus cruel ou qui sait? Car il peut battre de l'aile. Et s'assommer à sa guise contre le mur. Faisant retentir l'air de ses cris et de ses coups de battoir.

Vlan, deux fois.

Mais quand il nous a assez fatigués, on le cloue alors grand ouvert ou tout à fait fermé. Alors s'établit le silence, et la bataille est finie: je ne vois plus rien à en dire.

Dieu merci, je ne suis donc pas sourd! Quand j'ai ouvert mon volet ce matin, j'ai bien entendu son grincement, son cri et son coup de battoir. Et j'ai senti son poids.

Aujourd'hui, cela eut plus d'importance que la lumière délivrée et que l'apparition du monde extérieur, de tout le train des objets dans son flot.

D'autres jours, cela n'a aucune importance : lorsque je ne suis qu'un homme comme les autres et que lui, alors, n'est rigoureusement rien, pas même un volet.

Mais voici qu'aujourd'hui – et rendez-vous compte de ce qu'est aujourd'hui dans un texte de Francis Ponge – voici donc qu'aujourd'hui, pour l'éternité, aujourd'hui dans l'éternité le volet aura grincé, aura crié, pesé, tourné sur ces gonds, avant d'être impatiemment rabattu contre cette page blanche.

Il aura suffi d'y penser; ou, plus tôt encore, de l'écrire.

The Shutter, Followed by Its Scholium

Shutter banging the wall, what a queer bird a shutter is. That flies away never. Dislocated? No. Articulate. And cries. With the hinges of its one rectangular wing. And beats its head like a stick on the wall.

Queer nailed bird. Nailed by its sides, which – who's to say – is even harsher.

For it can flutter. And hit its head on the wall over and over. Make the air ring with its cries and its hammering.

Bang, twice.

But when we have tired of it, we pin it open wide or close it tight. Now it's quiet again, and the battle is over: I see nothing more to say about it.

Thank the Lord, I'm not deaf! When I opened my shutter this morning, loud and clear I heard it creak, call and bang. And I could feel its weight.

Today this had more importance than the light it freed and the appearance of the world outside, the whole string of objects that flooded in.

Other days, this hasn't the slightest importance: when I'm just a man among men and it, then, is strictly nothing, not a shutter even.

But today – and don't forget what today is in a text by Francis Ponge – here then today for eternity, today in eternity the shutter will have creaked, cried, weighed, turned on its hinges, before it was impatiently folded back against this white page.

How can I not have thought of it; or, even sooner, have written it.

Stabat un volet.

Attaché au mur par chacun de ses deux a, de chaque côté de la fenêtré, à peu près perpendiculaire au mur.

Ça bat, ou plutôt stabat un volet.

Stabat et ça crie. Stabat et ça a crié. Stabat et ça grince et ça a crié un volet.

Stabat tout droit, dans la verticale absolue, tendu comme à deux mains placées l'une au-dessous de l'autre le fusil tenu par deux doigts ici, deux doigts plus haut, tenu près du corps, du mur, dans la position du présentez-armes en décomposant.

Et on peut le gifler, même le plus grand vent: Stabat.

Non, ce n'est pas le mouvement du pendule, car il y a deux attaches: beaucoup moins libre.

Attention! J'atteins ici à quelque chose d'important concernant la liberté – quelle liberté? – du pendule. Un seul point d'attache, supérieur . . . et il est libre: de chercher son immobilité, son repos . . .

Mais le volet l'atteint beaucoup plus vite, et plus bruyamment!

(Ce ne doit pas être tout à fait cela, mais je n'ai pas l'intention de m'y fatiguer les méninges.)

Le volet aussi me sert de nuage: il suffit à cacher le soleil.
Va donc, triste oiseau, crie et parle! Va, mon volet plein, bat le mur!
. . . Ho! Ho! mon volet, que fais-tu?
Plein fermé, je n'y vois plus goutte. Grand ouvert, je ne *te* vois plus

> VOLET PLEIN NE SE PEUT ÉCRIRE
> VOLET PLEIN NAÎT ÉCRIT STRIÉ
> SUR LE LIT DE SON AUTEUR MORT
> OU CHACUN VEILLANT À LE LIRE
> ENTRE SES LIGNES VOIT LE JOUR.

(Signé à l'intérieur.)

Stabat a shutter. *Ça bat un volet.*

Fixed to the wall by it's *a* and its other *a*, one on each side of the window, more or less perpendicular to the wall. It bangs, or rather *ça bat*: stabat a shutter.

Stabat and it cries. Stabat and it has cried. Stabat and it creaks and it cried out a shutter.

Stabat straight up, perfectly vertical, tense as two hands one under the other, the gun clasped by two fingers here, two fingers higher up, clamped close to the body, the wall, step by step, to the present arms position.

And one can smack it, even the strongest wind: Stabat.

No, this is not the pendulum's swing, for there are *two* hooks: much less free.

Heads up! I have something important to say about freedom – what freedom? – freedom of the pendulum. A single fixed point, at the top . . . and it is free: to find its immobility, its resting place . . .

But the shutter finds it much faster, and with more clatter!

(I haven't quite got it, but I don't feel like beating my brains out.)

The shutter is also a good cloud: it suffices to hide the sun.

Go, sad bird, cry and speak! Go ahead, my shutter, bang the wall!

. . . Uh oh! My shutter, what are you doing?

Shut up tight, can't see a thing. Wide open, I can't see *you.*

> SHUTTER CLOSED CANNOT BE WRITTEN
> SHUTTER CLOSED BORN WRIT STREAKED
> ON THE BED OF ITS DEAD AUTHOR
> WHERE EACH WATCHER READING
> BETWEEN ITS LINES CAN SEE THE LIGHT

(Signed from the inside.)

SCHOLIE. – Pour que le petit oracle qui termine ce poème perde bientôt – et quasi spontanément – de son caractère pathétique, il suffirait que (dans ses éditions classiques) il soit imprimé comme suit:

> VOLET PLEIN NE SE PEUT ÉCRIRE
> VOLET PLEIN NAÎT ÉCRIT STRIÉ
> SUR LE LIVRE DE L'AUTEUR MORT
> OU L'ENFANT QUI VEILLE À LE LIRE
> ENTRE SES LIGNES VOIT LE JOUR.

C'est en effet la seule façon intelligente de le comprendre (et de l'écrire, dès que le livre est conçu). Mais enfin, il ne me fut pas donné ainsi. Il n'y avait pas tant un livre, dans cette chambre, que, *jusqu' à nouvel ordre*, CE LIT.

L'oracle y gagna-t-il en *beauté*? Peut-être (je n'en suis pas sûr . . .) Mais en ambigüité et en cruauté, sûrement.

Pas de doute pourtant: fût-ce aux dépens de la beauté, il fallait devenir intelligent le plus tôt possible: c'est- à-dire plus modeste, on le voit.

On me dira qu'une modestie véritable (et la seule dignité peut-être) aurait voulu que j'accomplisse le petit sacrifice de mes beautés sans le dire et ne montre que cette dernière version . . . Mais sans doute vivons-nous dans une époque bien misérable (en fait de rhétorique), que je ne veuille priver personne de cette leçon, ni manquer d'abord de me la donner explicitement à moi-même.

. . . Et puis, suis-je tellement sûr, en définitive, d'avoir eu, de ce LIT, raison ?

118

SCHOLIUM. – For the little oracle that ends this poem to lose –
practically spontaneously – its pathetic quality, it would suffice (in
its classical editions) to print it thus:

> SHUTTER CLOSED CANNOT BE WRITTEN
> SHUTTER CLOSED BORN WRIT STREAKED
> ON THE BOOK OF THE DEAD AUTHOR
> WHERE THE CHILD VIGILANTLY READING
> BETWEEN ITS LINES CAN SEE THE LIGHT

Clearly it's the only intelligent way to understand it (and to write
it, once the book is conceived). Only that's not how it was given to
me. There wasn't so much a book in the bedroom, as, *until further
notice,* this BED.

Did this make the oracle more *beautiful?* Maybe (I'm not sure . . .).
But more ambiguous and more cruel, certainly.

Still: even at the cost of beauty, we had to become intelligent as
soon as possible: that is, more modest, as we see.

Someone will say real modesty (and maybe just plain dignity)
might have urged me to see to this little sacrifice of my beauties
without explaining it, giving only the final version . . . But clearly
we live in such a sad time (rhetorically speaking) that I hesitate to
deprive anyone of this lesson, or first and foremost give it, in so
many words, to myself.

. . . And then, am I so sure, finally, to have been right about this
BED?

Plat de poissons frits

Goût, vue, ouïe, odorat . . . c'est instantané:

Lorsque le poisson de mer cuit à l'huile s'entrouvre, un jour de soleil sur la nappe, et que les grandes épées qu'il comporte sont prêtes à joncher le sol, que la peau se détache comme la pellicule impressionnable parfois de la plaque exagérément révélée (mais tout ici est beaucoup plus savoureux), ou (comment pourrions-nous dire encore) . . . Non, c'est trop bon! Ça fait comme une boulette élastique, un caramel de peau de poisson bien grillée au fond de la poêle . . .

Goût, vue, ouïes, odaurades: cet instant safrané . . .

C'est alors, au moment qu'on s'apprête à déguster les filets encore vierges, oui! Sète alors que la haute fenêtre s'ouvre, que la voilure claque et que le pont du petit navire penche vertigineusement sur les flots,

Tandis qu'un petit phare de vin doré – qui se tient bien vertical sur la nappe – luit à notre portée.

A Dish of Fried Fish

Taste, sight, hearing, smell . . . it all clicks:

When from the sea, the fish fried in oil splits open, one bright day of sun on the cloth, and the long blades it carries are ready to strew the ground, when the skin slips off the way sometimes the sensitive film slides off the over-developed plate (but everything in our case is much more delectable), or (how else could we say this?) . . . No, it's too good! It's like a little elastic ball, a caramel of well-grilled fish skins in the bottom of the pan . . .

Taste, sight, ear-gills, O doriferous bream: this saffron instant . . .

That's when, just as one is about to taste the still virgin fillets, yes! Sète! the high window opens, the sails give a clack and the bridge of the little ship tilts dizzily towards the waves,

While a small beam of gold wine – sitting very straight on the tablecloth – gleams within reach.

L'Assiette

Pour le consacrer ici, gardons-nous de nacrer trop cet objet de tous les jours. Nulle ellipse prosodique, si brillante qu'elle soit, pour assez platement dire l'humble interposition de porcelaine entre l'esprit pur et l'appétit.

Non sans quelque humour, hélas (la bête s'y tenant mieux!), le nom de sa belle matière d'un coquillage fut pris. Nous, d'espèce vagabonde, n'y devons pas nous asseoir. On la nomma porcelaine, du latin – par analogie – *porcelana*, vulve de truie . . . Est-ce assez pour l'appétit ?

Mais toute beauté qui, d'urgence, naît de l'instabilité des flots, prend assiette sur une conque . . . N'est-ce trop pour l'esprit pur ?

L'assiette, quoi qu'il en soit, naquit ainsi de la mer: d'ailleurs multipliée aussitôt par ce jongleur bénévole remplaçant parfois en coulisse le morne vieillard qui nous lance à peine un soleil par jour.

C'est pourquoi tu la vois ici sous plusieurs espèces vibrant encore, comme ricochets s'immobilisant sur la nappe sacrée du linge.

Voilà tout ce qu'on peut dire d'un objet qui prête à vivre plus qu'il n'offre à réfléchir.

The Plate

In consecrating it here, let's not put too pearly a gloss on this
everyday object. No prosodic ellipsis, however flashy, so as to speak
quite flatly of porcelain's place in between pure mind and the taste
buds.

Not without a touch of humour, alas (the better to keep a grip
on the beast!), the name of its lovely substance from a shellfish
was taken. We, a vagabond species, must not sit on it. They called
it porcelain, from the Latin – by analogy – *porcelana*, vulva of a sow
. . . Does that whet your appetite?

But any beauty who, in an emergency, rising out of rocking
waves, sits on a conch . . . a bit much for the pure of mind?

Whatever. The plate in any case is born of the sea: promptly
multiplied moreover by the well-meaning juggler who now and
again in the wings substitutes for that old sourpuss who flings us
but one sun a day.

Which is why you see several examples of it, still vibrant, like
ricochets settling on the sacred linens.

This is all one can say about an object which lends itself more to
life than to reflection.

La Parole étouffée sous les roses

C'est trop déjà qu'une rose, comme plusieurs assiettes devant le même convive superposées.

C'est trop d'appeler une fille Rose, car c'est la vouloir toujours nue ou en robe de bal, quand, parfumée par plusieurs danses, radieuse, émue, humide elle rougit, perlante, les joues en feu sous les lustres de cristal; colorée comme une biscotte à jamais dorée par le four.

La feuille verte, la tige verte à reflets de caramel et les épines, – sacrédié! tout autrement que de caramel – de la rose, sont d'une grande importance pour le caractère de celle-ci.

Il est une façon de forcer les roses qui ressemble à ce qu'on fait quand, pour que ça aille plus vite, l'on met des ergots d'acier à des coqs en combat.

Oh l'infatuation des helicoïdogabalesques pétulves ! La roue du paon aussi est une fleur, vulve au calice . . . Prurit ou démangeaison: chatouiller fait éclore, bouffer, s'entrebâiller. Elles font bouffer leurs atours, leurs jupons, leurs culottes . . .

Une chair mélangée à ses robes, comme toute pétrie de satin: voilà la substance des fleurs. Chacune à la fois robe et cuisse (sein et corsage aussi bien) qu'on peut tenir entre deux doigts – enfin! et manier pour telle; approcher, éloigner de sa narine; quitter, oublier et reprendre; disposer, entrouvrir, regarder – et flétrir au besoin d'une seule ecchymose terrible. Dont elle ne se relèvera plus: de valeur âcre et opérant une sorte de retour à la feuille – ce que l'amour, pour chaque jeune fille, met au moins quelques mois à accomplir . . .

Épanouies, enfin! Calmées, leurs crises de neurasthénie agressive!

Speech Stifled under the Roses

One rose is already too much, like a stack of plates in front of one diner.

It's too much to call a girl Rose, for it means wanting her forever naked or in a ball gown when, fragrant from dancing, radiant, flushed, dewy, she blushes, sparkling, cheeks aflame under the crystal of the chandeliers; like a piece of toast popping ever golden from the toaster.

The green leaf, the green stem with its toffee flecks and the thorns – good god! not the least like toffee – of the rose are essential to its character.

There's a way to force roses that resembles what one does when, to speed things up, one puts steel spurs on a fighting cock.

Oh, infatuation of long-limbed helicoidal petulve! The peacock tail is a flower too, vulva of the calyx . . . Pruritis, or itch: tickle it, it blooms, puffs up, cracks open. They fluff up their skirts, their petticoats, their knickers . . .

Flesh and dress together, kneaded with satin: the stuff of flowers. Each is dress and thigh (breast and bodice too) one can pinch between two fingers – at last! and handle accordingly; take a sniff, push it off; leave it, forget it and pick it up again; arrange, spread, look – and turn it black and blue if need be with a single terrific bruise, from which it won't recover: with an acrid quality which brings about a sort of return to the leaf – what love, for every girl, takes a few months at least to accomplish . . .

In bloom, at last! Calmed, their fits of passive aggressivity!

Cet arbuste batailleur, dressé sur ses ergots et qui fait bouffer son plumage, y perdra rapidement quelques fleurs . . .

Une superposition nuancée de soucoupes.

Une levée de tendres boucliers autour du petit tas d'une poussière fine, plus précieuse que l'or.

Les roses sont enfin comme choses au four. Le feu d'en haut les aspire, aspire la chose qui se dirige alors vers lui (voyez les soufflés) . . . veut se coller à lui ; mais elle ne peut aller plus loin qu'un certain endroit: alors elle entrouvre les lèvres et lui envoie ses parties gazeuses, qui s'enflamment . . . C'est ainsi que roussit et noircit puis fume et s'enflamme la chose au four: il se produit comme une éclosion au four, et la Parole n'est que . . .

Voilà aussi pourquoi il faut arroser les plantes, car ce sont les principes humides qui, soudoyés par le feu, entrainent à leur suite vers leur élévation tous les autres principes des végétaux.

Du même élan les fleurs alors débouchent – définitivement – leur flacon. Toutes les façons de se signaler leur sont bonnes. Douées d'une touchante infirmité (paralysie des membres inférieurs), elles agitent leurs mouchoirs (parfumés) . . .

Car pour elles, en vérité, pour chaque fleur, tout le reste du monde part incessamment en voyage.

This bush, spoiling for a fight, feathers fluffed, will soon strew a few flowers . . .

A nuanced superposition of saucers.

Tender shields pressed around a little heap of finely ground dust, more precious than gold.

Lastly, roses are like things in the oven. The overhead flame sucks them up, aspirates the thing which rises towards it (imagine the soufflé) . . . wants to stick to it; but can go no further than a certain spot: then parts its lips and sends it its gaseous parts, which crackle up . . . In this way the thing in the oven browns and blackens, then smokes and turns to flame: what takes place is a kind of opening in the oven, and Speech is but . . .

This is also why plants must be watered, for it's their watery elements which, bribed by fire, in their elevation carry along with them all the other parts of plants.

Momentously flowers uncork – once and for all – their flacons. They'll do anything to attract attention. Blessed with a touching infirmity (paralysis of the lower limbs), they flutter their (perfumed) handkerchiefs . . .

For them, truly, for each flower, all the rest of the world is about to go off on a trip.

La Figue (sèche)

Pour ne savoir pas trop ce qu'est la poésie (nos rapports avec elle sont incertains), cette figue sèche, en revanche (tout le monde voit cela), qu'on nous sert, depuis notre enfance, ordinairement aplatie et tassée parmi d'autres hors de quelque boîte, – comme je la remodèle entre le pouce et l'index avant de la croquer, je m'en forme une idée aussitôt toute bonne à vous être d'urgence quittée.

Pauvre chose qu'une figue sèche, seulement voilà une de ces façons d'être (j'ose le dire) ayant fait leurs preuves, qui les font quotidiennement encore et s'offrent à l'esprit sans lui demander rien en échange sinon cette constatation elle-même, et le minimum considération qui en résulte.

Mais nous plaçons ailleurs notre devoir.

Symmaque (selon Larousse), grand païen de Rome, se moquait de l'Empire devenu chrétien: 'Il est impossible, disait-il, qu'un seul chemin mène à un mystère, aussi sublime.' Il n'eut pas de postérité spirituelle, mais devint beau-père de Boèce, l'auteur de *La Consolation philosophique*; puis, tous deux furent mis à mort par l'empereur barbare Théodoric, en 525 (barbare et chrétien, je suppose).

Cela fait, il fallut attendre plusieurs siècles pour que l'on rebaisse les yeux et regarde à nouveau par terre; jusqu'à ce qu'un beau jour enfin (selon Du Cange): 'Icelluy du Rut trouva un petit sachet où il y avait mitraille, qui est appelée billon.'

La belle affaire!

Pour ma part, ces jours-ci, j'ai trouvé cette figue, qui sera l'un des éléments de ma consolation matérialiste.

Non du tout qu'entre temps plusieurs tentatives n'aient été faites (ou approximations – en sens inverse – tentées) dont les souvenirs ou vestiges restent touchants.

The (Dried) Fig

Perhaps I don't know what poetry is (our relationship with it is uncertain), about this fig, on the other hand (as everyone sees), served to us since childhood, usually flattened and packed in with others out of some box – while I prod it back into shape between thumb and index before I pop it into my mouth, I form an idea right away good enough to leave with you.

A poor thing, a dried fig, but in it you have one of those ways of being (I dare say) that has stood the test of time, and does so daily, offering itself to the mind, asking for nothing in return, save to take notice of this, and provide in consequence a modicum of consideration.

But our duty, we feel, lies elsewhere.

Symmaque (Larousse says), a great Roman pagan, mocked the Empire turned Christian: 'Impossible,' he said, 'that only one road leads to a mystery so sublime.' He had no spiritual posterity, but became the father-in-law of Boetius, author of *The Consolation of Philosophy*; both were later put to death by the barbarian emperor Theodoric, in 525 (barbarian and Christian, I suppose).

After that, it was centuries before anyone cast their eyes down again; until one fine day at last (Du Cange says): 'Icelluy du Rut found a small pouch in which there was some grapeshot, which is called billon.'

What luck!

As for me, these past few days, I've found this fig, which will be one of the elements of my materialist consolation.

Not that in the meantime several attempts haven't been made (or – vice versa – approximations attempted) whose memory or remants still touch us.

Ainsi avez-vous pu, comme moi, rencontrer dans la campagne, au creux d'une région bocagère, quelque église ou chapelle romane, comme un fruit tombé.

Bâtie sans beaucoup de façons, l'herbe, le Temps, l'oubli l'ont rendue extérieurement presque informe; mais parfois, le portail ouvert, un autel rutilant luit au fond.

La moindre figue sèche, la pauvre gourde, à la fois rustique et baroque, certes ressemble fort à cela, à ceci près, pourtant, qu'elle me paraît beaucoup plus sainte encore; quelque chose, si vous voulez, – dans le même genre, bien que d'une modestie inégalable –, comme une petite idole, dans notre sensibilité, d'une réussite à tous égards plus certaine: incomparablement plus ancienne et moins inactuelle à la fois.

Si je désespère, bien sûr, d'en tout dire, si mon esprit, avec joie, la restitue bientôt à mon corps, ce ne soit donc sans lui avoir rendu, au passage, le bref culte à ma façon qui lui revient, ni plus ni moins intéressé qu'il ne faut.

Voilà l'un des rares fruits, je le constate, dont nous puissons, à peu de chose près, manger tout: l'enveloppe, la pulpe, la graine ensemble concourant à notre délectation; et peut-être bien, parfois, n'est-ce qu'un grenier à tracasseries pour les dents: n'importe, nous l'aimons, nous la réclamons comme notre tétine; une tétine, par chance, qui deviendrait tout à coup comestible, sa principale singularité, à la fin du compte, étant d'être d'un caoutchouc desséché juste au point qu'on puisse, en accentuant seulement un peu (incisivement) la pression des mâchoires, franchir la résistance – ou plutôt non-résistance, d'abord, aux dents, de son enveloppe – pour, les lèvres déjà sucrées par la poudre d'érosion superficielle qu'elle offre, se nourrir de l'autel scintillant en son intérieur qui la remplit toute d'une pulpe de pourpre gratifiée de pépins.

Thus you, like me, in the country, in the hollow of some marshy region, in a church or Romanesque chapel, may have come across a sort of fallen fruit.

Unadorned, its outside rendered almost shapeless by grass, Time and oblivion; but now and then, the door ajar, a ruddy altar gleams within.

Any old gourd of a fig, true, both rustic and baroque, fits this description, except that it seems to me even holier; something, if you will – similar in kind, though so much modester – to a small idol, to our way of thinking, but of altogether more certain success: at the same time far older and less antiquated.

If I despair, of course, of saying all there is to say, if my mind, joyfully, soon hands it back to my body, let it not be without my having, in passing, in my own manner, briefly but properly praised it, with neither more nor less interest than befits it.

Here we have one of those rare fruits, I note, of which we may eat practically everything: peel, pulp, seeds all add to our delight; and indeed, at times it becomes a mere silo of dental problems: never mind, we still love it, we crave it like our teat; a teat, moreover, which suddenly proves edible, its principal characteristic being that, when you think of it, it's just enough like a piece of old rubber to enable us, by ever so slightly (incisively) increasing the jaws' pressure, to overcome the resistance – or rather non-resistance of its packaging to the teeth – lips already sweetened by the dust from the skin's erosion, and feed on the scintillating altar within, brimful of seed-strewn purple pulp.

Ainsi de l'élasticité (à l'esprit) des paroles, – et de la poésie comme je l'entends.

Mais avant de finir, je veux dire un mot encore de la façon, particulière au figuier, de sevrer son fruit de sa branche (comme il faut faire aussi notre esprit de la lettre) et de cette sorte de rudiment, dans notre bouche: ce petit bouton de sevrage – irréductible – qui en résulte. Pour ce qu'il nous tient tête, sans doute n'est-ce pas grand-chose, ce n'est pas rien.

Posé en maugréant sur le bord de l'assiette, ou mâchonné sans fin comme on fait des proverbes: absolument compris, c'est égal.

Tel soit ce petit texte: beaucoup moins qu'une figue (on le voit),· du moins à son honneur nous reste-t-il, peut-être.

Par nos dieux immortels, cher Symmaque, ainsi soit-il.

Thus the elasticity (to the mind) of words – and of poetry as I understand it.

But before I stop, let me say another word about the particular way the fig tree weans its fruit from the branch (as our minds too must wean themselves from the literal) and about the sort of rudiment, in our mouth: this small tit – irreducible – which remains. For the way it stands up to us, a small thing, I guess, but not without its importance.

Grumbling, we leave it on the side of the plate, or chew on it endlessly the way we do proverbs: in the absolute it is the same thing.

May this little text may be something of the kind: a great deal less than a fig (one sees), but at least in its honour it remains to us, perhaps.

In the name of our immortal gods, dear Symmaque, amen.

La Chèvre

'Et si l'enfer est fable au centre de la terre,
Il est vrai dans mon sein.'
(Malherbe)

À Odette

Notre tendresse à la notion de la chèvre est immédiate pour ce qu'elle comporte entre ses pattes grêles – gonflant la cornemuse aux pouces abaissés que la pauvresse, sous la carpette en guise de châle sur son échine toujours de guingois, incomplètement dissimule – tout ce lait qui s'obtient des pierres les plus dures par le moyen brouté de quelques rares herbes, ou pampres, d'essence aromatique.

Broutilles que tout cela, vous l'avez dit, nous dira-t-on. Certes; mais à la vérité fort tenaces.

Puis cette clochette, qui ne s'interrompt.

Tout ce tintouin, par grâce, elle a l'heur de le croire, en faveur de son rejeton, c'est-à-dire pour l'élevage de ce petit tabouret de bois, qui saute des quatre pieds sur place et fait des jetés battus, jusqu'à ce qu'à l'exemple de sa mère il se comporte plutôt comme un escabeau, qui poserait ses deux pieds de devant sur la première marche naturelle qu'il rencontre, afin de brouter toujours plus haut que ce qui se trouve à sa portée immédiate.

Et fantasque avec cela, têtu!

Si petites que soient ses cornes, il fait front.

Ah! ils nous feront devenir chèvres, murmurent-elles – nourrices assidues et princesses lointaines, à l'image des galaxies – et elles s'agenouillent pour se reposer. Tête droite, d'ailleurs, et le regard, sous les paupières lourdes, fabuleusement étoilé. Mais, décrucifiant d'un brusque effort leurs membres raides, elles se relèvent presque aussitôt, car elles n'oublient pas leur devoir.

The Goat

'And if hell is fable in the centre of the earth,
It is true in my heart.'
  (Malherbe)

For Odette

Our affection at the thought of the goat is immediate because of what she carries around between her spindly legs – swelling the thumbs-down bagpipes, which the poor thing, spine forever bent under a rug in guise of a shawl, only partly hides – all that milk wrung from the hardest of stones by browsing on sparse grasses, or aromatic species of vines.

Mere trifles all that, you said, someone will say to us. Well, yes; but in truth terribly tenacious.

Then that bell, which won't stop tinkling.

All this fuss, thank heavens, or so she believes, for the sake of her offspring, which is to say, for the upbringing of that little wooden stool, on all fours jumping on the spot, doing jetés battus until, taking after its mother, it starts behaving more like a ladder, propping its two front feet on the first natural step it finds, in order to graze ever higher than on what crops up within reach.

And capricious as well, so headstrong!

No matter how small its horns, it never backs down.

Oh, they'll get our goat, murmur the nannies – diligent nurses and distant princesses, spitting image of the galaxies – and down they kneel for a rest. Heads up, though, and their gaze, under the heavy lids, fabulously starry. But, uncrossing their stiff limbs, they quickly bob up again for they never forget their duty.

Ces belles aux longs yeux, poilues comme des bêtes, belles à la fois et butées – ou, pour mieux dire, belzébuthées – quand elles bêlent, de quoi se plaignent-elles? de quel tourment, quel tracas?

Comme les vieux célibataires elles aiment le papier-journal, le tabac.

Et sans doute faut-il parler de corde à propos de chèvres, et même – quels tiraillements! quelle douce obstination saccadée! – de corde usée jusqu'à la corde, et peut-être de mèche de fouet.

Cette barbiche, cet accent grave . . .

Elles obsèdent les rochers.

Par une inflexion toute naturelle, psalmodiant dès lors quelque peu – et tirant nous aussi un peu trop sur la corde, peut-être, pour saisir l'occasion verbale par les cheveux – donnons, le menton haut, à entendre que chèvre, non loin de cheval, mais féminine à l'accent grave, n'en est qu'une modification modulée, qui ne cavale ni ne dévale mais grimpe plutôt, par sa dernière syllabe, ces roches abruptes, jusqu'à l'aire d'envol, au nid en suspension de la muette.

Nulle galopade en vue de cela pourtant. Point d'emportement triomphal. Nul de ces bonds, stoppés, au bord du précipice, par le frisson d'échec à fleur de peau du chamois.

Non. D'être parvenue pas à pas jusqu'aux cimes, conduite là de proche en proche par son étude – et d'y porter à faux – il semble plutôt qu'elle s'excuse, en tremblant un peu des babines, humblement.

Ah! ce n'est pas trop ma place, balbutie-t-elle; on ne m'y verra plus; et elle redescend au premier buisson.

De fait, c'est bien ainsi que la chèvre nous apparaît le plus souvent dans la montagne ou les cantons déshérités de la nature: accrochée, loque animale, aux buissons, loques végétales, accrochés eux-mêmes à ces loques minérales que sont les roches abruptes, les pierres déchiquetées.

These long-eyed beauties, hairy as beasts, beautiful and stubborn –
bellezebubbish – when they baa, what are they complaining about?
What troubles, what cares?

Like ageing bachelors they love newsprint, tobacco.

And how speak of goats without speaking of rope, and even –
such pushing and pulling! such gently obstinate jerks! – of rope
frazzled, and perhaps of the tip of the whip.

That goatee, that gravelly accent . . .

They obsess the rocks.

Droning on a little – do we too tug a little hard on our rope in
taking goats as our verbal occasion? – but through a perfectly
natural inclination, let us, heads high, point out that chèvre is
not far from cheval, only feminine with a grave accent, a mere
modular modification which neither canters nor hurtles but
clambers rather, on its final syllable, right up these steep rocks, to
the take-off point, to the high-hung nest of the unspoken.

Only no cavorting upon arrival. No getting carried away with
triumph. None of those mad dashes, brought up short on the
brink, quivering with the thrill of it like a chamois.

No. To have got to the summit, step by step, guided by study
and work – and to over-reach – it seems she begs pardon, humbly,
chops trembling a little.

Oh! I'm out of place here, she stammers; I won't come again;
and down she goes, right back to the first bush.

This indeed is how the goat usually appears to us in the mountains
or in the poorer cantons of nature: an animal rag, clinging to
bushes, vegetable rags, which themselves cling to the mineral
tatters, the steep rocks, the crumbled stone.

Et sans doute ne nous semble-t-elle si touchante que pour n'être, d'un certain point de vue, que cela: une loque fautive, une harde, un hasard misérable; une approximation désespérée; une adaptation un peu sordide à des contingences elles-mêmes sordides; et presque rien, finalement, que de la charpie.

Et pourtant, voici la machine, d'un modèle cousin du nôtre et donc chérie fraternellement par nous, je veux dire dans le règne de l'animation vagabonde dès longtemps conçue et mise au point par la nature, pour obtenir du lait dans les plus sévères conditions.

Ce n'est qu'un pauvre et pitoyable animal, sans doute, mais aussi un prodigieux organisme, un être, et il fonctionne.

Si bien que la chèvre, comme toutes les créatures, est à la fois une erreur et la perfection accomplie de cette erreur; et donc lamentable et admirable, alarmante et enthousiasmante tout ensemble.

Et nous? Certes nous pouvons bien nous suffire de la tâche d'exprimer (imparfaitement) cela.

Ainsi aurai-je chaque jour jeté la chèvre sur mon bloc-notes: croquis, ébauche, lambeau d'étude, – comme la chèvre elle-même est jetée par son propriétaire sur la montagne; contre ces buissons, ces rochers – ces fourrés hasardeux, ces mots inertes – dont à première vue elle se distingue à peine

Mais pourtant, à l'observer bien, *elle* vit, *elle* bouge un peu. Si l'on s'approche elle tire sur sa corde, veut s'enfuir. Et il ne faut pas la presser beaucoup pour tirer d'elle aussitôt un peu de ce lait, plus précieux et parfumé qu'aucun autre – d'une odeur comme celle de l'étincelle des silex furtivement allusive à la métallurgie des enfers – mais tout pareil à celui des étoiles jaillies au ciel nocturne en raison même de cette violence, et dont la multitude et l'éloignement infinis seulement, font de leurs lumières cette laitance – breuvage et semence à la fois – qui se répand ineffablement en nous.

And probably she seems so touching because she is, in a way, merely that: a mistaken tatter, a rag, a wretched coincidence; a desperate approximation; a slightly sordid adaptation to contingencies which are themselves sordid; and finally, a mere shred.

And yet here's the machine, of a model akin to ours and therefore cherished fraternally by us, I mean in the reign of vagabond animation long since conceived of, and perfected by nature, for getting milk under the harshest of conditions.

It's nothing but a miserable poor animal, I guess, but also a prodigious organism, a being, and it works.

So the goat, like all creatures, is both a mistake and the perfection of that mistake; and hence pitiful and admirable, alarming and exciting all at once.

And us? We can, to be sure, be content with the task of (imperfectly) expressing this.

Hence each day I shall have thrown the goat onto my pad; sketch, rough draft, scrap of study – as the goat herself is by her owner thrown onto the mountain; against those bushes, those rocks – those dangerous thickets, those inert words – from which at first she can hardly be distinguished.

But yet – look – she lives, she moves a little. If we approach, she tugs on her rope, tries to flee. And we don't need to press her very hard in order to squeeze out a little of that milk, more precious and fragrant than any other – its smell, like the spark of flints, furtively allusive to hell's metallurgy – but exactly like that of the stars that spurt from the night sky precisely because of the violence, and whose multitude and infinite remoteness make of their light this milt – both beverage and seed – that spreads ineffably through us.

Nourrissant, balsamique, encore tiède, ah! sans doute ce lait, nous sied-il de le boire, mais de nous en flatter nullement. Non plus, finalement, que le suc de nos paroles, il ne nous était tant destiné, que peut-être – à travers le chevreau et la chèvre – à quelque obscure régénération.

Telle est du moins la méditation du bouc adulte.

Magnifique corniaud, ce songeur de grand style arborant ses idées en supporte le poids non sans quelque rancune utile aux actes brefs qui lui sont assignés.

Ces pensers accomplis en armes sur sa tête, pour des motifs de haute courtoisie ornementalement recourbés en arrière;

Sachant d'ailleurs fort bien – quoique de source occulte, et bientôt convulsive en ses sachets profonds –

De quoi, de quel amour il demeure chargé;

Voilà, sa phraséologie sur la tête, ce qu'il rumine, entre deux coups de boutoir.

Nourishing, fragrant, still warm, mmm! No doubt it is fitting to drink this milk, but – flatter ourselves about it: never. No more, in the end, than the sap of our words, was it destined for us, save perhaps – via the kid and the nanny goat – for some dim regeneration.

Such at least is the billy goat's meditation.

Magnificent rake, this grandiose dreamer bears his ideas, sporting them not without a touch of rancour useful in the brief acts assigned to him.

These thoughts accomplished in arms on his head, curved, for reasons of haute courtoisie, decoratively backwards;

Knowing full well moreover – though from a secret, and soon to be convulsive source in those deep pockets –

Of what, of which kind of love he is charged;

There, phraseology branching on his head, is what he ruminates, between two butting remarks.

Translator's Notes

These notes indicate some of the more obvious thorns of translation, and points of interest along the way. I am particularly indebted to Gallimard's Bibliothèque de la Pléiade edition of Francis Ponge's *Oeuvres complètes* (1999) and to Ian Higgins, of the University of St Andrews, for precious comments and suggestions. The translation's shortcomings are all my own.

from The Defence of Things

Though *The Defence of Things* was Ponge's second book, it was the first to attract critical attention and remains Ponge's best known work. The book was ready for publication in 1937; because of difficulties with its first publisher and the war it only appeared in 1942. Ponge wrote to his editor, Jean Paulhan, '*Le Parti pris* me semble une des plus belles choses parues en littérature depuis longtemps' ('*The Defence of Things* strikes me as one of the most beautiful things to appear in literature for a long time'). Jean-Paul Sartre, who saw connections between Ponge's work, Phenomenalism and Modernism's concern with language, was an early admirer of Ponge.

Rain

springs up again flashing like needles: the French text has 'rejaillit en aiguillettes brillantes'. Strictly speaking 'aiguillettes' probably refers to a bit of shiny, military-type braid; however, the word 'aiguilles' (needles) peeks from within 'aiguillettes' and Ponge surely wished his readers to hear both. It is difficult to translate word play; I have chosen 'needles' as the more immediately appealing and accessible visual image.

it has rained: the French text says 'il a plu', past participle of the verb 'pleuvoir', to rain, and the verb 'plaire', to please, which some critics consider to be a word play. Ian Higgins comments: 'Ponge once told me . . . there was no question of his having inended this double meaning.'

The End of Autumn

Ponge here reacts against the melancholy that, in the Romantic tradition, attaches to autumn. Nature, as is often the case in Ponge's writing, is both

itself and by extension the writer's workshop in which the text is pruned, tidied up, readied for the budding season.

dépouillement: to count the votes cast in an election, but also 'to skin' or 'to strip bare' (of leaves, for example).

The Blackberries

Ponge frequently emphasised the specificity of his subjects: not 'blackberries' but 'the' blackberries, those particular ones.

rogue: 'haughty', from the same root as English 'arrogant'. The *Dictionnaire Littré*, Ponge's constant reference, cites the English meaning of 'rascal, vagrant'; Ponge may also have been familiar with the scientific term 'rogue' (a rogue plant, animal, planet). I have chosen to call a 'rogue' a 'rogue', for the humorous tone, the monosyllable and considerations of sound.

ripe, indeed they are ripe: the French puns on the word 'mûre', which means both 'blackberry' and 'ripe', and, again, on the metaphor of nature and poem.

The Crate

François Mauriac speculated that Alain Robbe-Grillet might have taken the idea for his future works from *The Crate* and other such poems by Ponge: 'I'd never have thought that such an ordinary object, thanks to words, might come to exist as intensely as this crate in its crude reality.'

The Candle

In 1948 Ponge wrote a text called, *'De la nature morte et de Chardin'* (Of Still Life and of Chardin); this poem may conjure up the atmosphere of certain genre scenes by the French painters de la Tour and Chardin.

bends over its dish and drowns in its food: the French here uses the words 'assiette' and 'aliment,' words whose etymologies – as is often the case with Ponge, who was a great reader of dictionaries, and in particular the *Littré* – are rich in suggestions unavailable in the English translation. A glimpse into this verbal treasure shows that in French, for example, 'aliment' seems to have first designated that which nourishes the heart; its verb form 'alimenter' is first attested in the figurative sense of 'to feed (the fire).' (See the *Robert Dictionnaire Historique de la Langue Française*.)

The Oyster

Note the form of this poem, in two parts like the oyster shell itself, with perhaps a 'pearl' (formula, proverbial turn of phrase) to conclude. Note also the connection between this pearl and the pip of the orange in 'The Orange'.

In his *Entretiens avec Philippe Sollers*, Ponge says, 'What is a formula? It's a little form. It's the diminutive of "form". And at the same time, of course, I mean formula, in the sense of a brief sentence, of something said in the briefest manner, which one immediately takes as an adornment. There is a sort of self-criticism within the text, from the fact that I adorn myself with the precious and rare quality of my style.'

The Delights of the Door

From Arthur Stanley Eddington's *Nature of the Physical World* (1928), quoted by Walter Benjamin in a 1938 letter to Gerhard Scholem on the subject of Franz Kafka:

> I am standing on the threshold about to enter a room. It is a complicated business. In the first place I must shove against an atmosphere pressing with the force of fourteen pounds on every square inch of my body. I must make sure of landing on a plank traveling at twenty miles a second around the sun – a fraction of a second too early or too late, the plank would be miles away. I must do this while hanging from a round planet heading outward into space, and with a wind of ether blowing at no one knows how many miles a second through every interstice of my body. The plank has no solidity of substance. To step on it is like stepping on a swarm of flies. Shall I not slip through? No, if I make the venture one of the flies hits me and gives a boost up again; I shall fall again and am knocked upward by another fly; and so on. I may hope that the net result will be that I remain about steady; but if unfortunately I should slip through the floor or be boosted too violently up to the ceiling, the occurrence would be, not a violation of the laws of Nature, but a rare coincidence . . .
>
> Verily it is easier for a camel to pass through the eye of a needle than for a scientific man to pass through a door. And whether the door be barn door or church door it might be wiser that he should consent to be an ordinary man and walk in rather than wait till all the difficulties involved in a really scientific ingress are resolved.

The Mollusc

Blount: a brand name for an automatic door-closing system.

The Butterfly

'Leur aile dans les doigts n'est qu'une pincée de cendres' (their wings between one's fingers are but a pinch of ash) – from Ponge's notebooks. *superfetatious*: the Pléiade edition of Ponge's works claims that the first use of the word 'superfetation' as an adjective was in Colette's *Claudine à Paris* (1901).

Moss

The short, scattered paragraphs may be intended to mimic the untidy growth patterns of moss. The Latinate diction ('aspirations', etc) expands 'nature description' to the human realm.

Lemeunier Restaurant, rue de la Chaussée d'Antin

This genre scene, of a sort relatively rare in Ponge, forms a diptych with the preceding piece 'R.C. Seine' (not included here) which is a description of an office presumably not unlike the Messageries Hachette where Ponge was employed in the 1930s. Lemeunier Restaurant was located at 46 rue de la Chaussée d'Antin in Paris's 9th arrondissement.

The Pebble

In questioning the durability of stone, Ponge also raises the question of the durability of speech and writing. This text, in which a number of Ponge's themes come together, keeps some characteristics of 'the draft', a technique Ponge used frequently in his later works, such as the poems from *Pièces,* daring as he became a more established author to question the possibility of publishing anything 'finished'.

toils: Ponge uses the word 'pétrin' here, an old-fashioned wooden kneading trough. But he also plays on the familiar expression, 'être dans le pétrin': to be in difficult straits.

to a mind short of ideas: Ponge often claimed that he wrote descriptions because he mistrusted ideas. In *My Creative Method* (1947) he says:

No doubt I am not very intelligent: in any case ideas are not my strong point. I've always been disappointed by them. The most well-founded opinions, the most harmonious philosophical systems (the best constituted) have always seemed to me utterly fragile, caused a certain revulsion, a sense of the emptiness at the heart of things, a painful feeling of inconsistency. I do not feel in the least assured of the propositions that I sometimes have occasion to put forth in the course of a discussion. The opposing arguments almost always appear just as valid; let's say, for the sake of exactness, neither more nor less valid. I am easily convinced, easily put down. And when I say I am convinced: it is, if not of some truth, at least of the fragility of my own opinion. Furthermore, the value of ideas appears to me most often in inverse proportion to the enthusiasm with which they are expressed. A tone of conviction (and even of sincerity) is adopted, it seems to me, as much in order to convince oneself as to convince one's interlocutor, and even more, perhaps, *to replace* conviction. To replace, so to speak, the truth which is absent from the propositions put forth. This is something I feel very strongly.

Hence, ideas as such seem to me to be the thing I am least capable of, and they are of little interest to me. You will no doubt object that this in itself is an idea (an opinion) . . . but: ideas, opinions seem to me controlled in each individual by something completely other than free will, or judgement. Nothing appears to me more subjective, more epiphenomenal. I really cannot understand why people boast of them. I would find it unbearable should someone try to impose them on us. Wanting to give one's opinion as objectively valid, or in the absolute, seems to me as absurd as to state, for example, that curly blonde hair is *truer* than sleek black hair, the song of the nightingale closer to the truth than the neighing of a horse. (On the other hand I am quite given to formulation and may even have a certain gift in this direction. 'This is what you mean . . .' and generally the speaker agrees with my formulation. Is this a writer's gift? Perhaps.)

he got dragged down: 'il s'empêtra' in French. Ponge plays on a false etymology: 'empêtrer' derives from Latin *pastoria*, 'tether,' not from *petra*, 'stone'. Elsewhere in this text, Ponge may also be playing on 'the sound of etymology' when he uses the word 'pêtrir', to knead.

from **Pieces**

Pieces is a collection of 73 texts written between 1924 and 1957 and arranged, for the most part, in the order in which they were written. The earliest texts look back to Mallarmé, while renouncing the subjects and diction of traditional lyricism; the last text, 'The Goat', a long allegorical poem dedicated to Ponge's wife, is also an *ars poetica*.

Fabri, or The Young Worker

This is probably a self-portrait, dating from the years when Ponge worked at the Messageries Hachette – 'a jail of the first order,' Ponge commented to an interviewer.

The Umbels

Umbels don't take umbrage: their shade is gentler: the French has a wordplay on 'ombelles / ombrelles . . . ombre (shade) . . . ombe'; this last is a neologism.

Pastoral Symphony

The title here evokes André Gide, but also Beethoven's Sixth Symphony.

genero-of-birdcalls: in French 'crisdoisogène', a neologism.

The Eiderdown

The shape of this poem on the page mimes both the object and its mode of apprehension, a series of 'light and puffy thoughts'.

The Telephone Appliance

Composed in 1939, this poem appeared in *Poetry* in 1952. It too mimics its object, with its two parts like the telephone's receiver and base. Note also Ponge's habit of repeating himself, almost as if he wished (as he does later) the poem to appear in the form of drafts or variations on a theme.

lobster: may have been inspired by Salvador Dalí's *Lobster Telephone* (1936).

Lyrical Pump and Circumstance

Ponge makes fun of the lyrical tradition, using high-flown language to describe a machine whose function was very far removed from the lyrical sublime. The sewer may also mockingly evoke the underworlds and labyrinths of mythology and the Romantic tradition.

Mistletoe

At the time he composed this poem, Ponge wrote a poem about mimosa, a Mediterranean plant; 'Mistletoe' echoes the mimosa poem in its metaphors and comparisons. 'Gui' (mistletoe) is, in French, also a marine term, designating a boom, a fact which may have helped to suggest some of the comparisons.

Unfinished Ode to Mud

Composed in 1942, this text is an example of Ponge's contraband Resistance writing; some of its references, for instance to enemy carts – chars, tanks – make Ponge's anti-Vichy sentiments very clear. I am grateful to Ian Higgins for pointing out that the phrase 'liberty shall guide our steps' is an allusion to the Revolutionary 'Chant du depart' ('La victoire en chantant nous ouvre la barrière, / La liberté guide nos pas').

'Mud', in its celebratory mode, adopts the form and style of the ode, but simultaneously refuses such elevation by its choice of subject matter and by remaining unfinished. Note that mud is shapeless; like water (which Ponge also wrote about, though he enclosed it in a glass), it is a thing that resists closed forms.

The Electric Fire

Another war text, with references to events in 1942 and the possible reunifying of the occupied and unoccupied zones ('1942 peut-être sera l'an de la réunion. C'est notre voeu . . .': Jean Paulhan, F. Ponge, *Correspondance*, cited in the Pléiade *Oeuvres complètes*).

The Station

In the course of its writing, the first section of this poem was rearranged to give it the form of a train with many short paragraph-carriages.

kit and caboodle: this paragraph is probably a reference to the exodus of the French from Paris in 1940 when the city was occupied by the Germans.

The Washpot

Cleanliness of one kind or another is a recurring theme in Ponge, who wrote a book called *Soap*. Like many other Ponge poems, 'The Washpot' contains a reflection upon the activities of thinking and writing and, in

these war years, upon the necessity of resisting the Vichy government's collaboration with the German occupation troops. This poem contains a tribute to Madame Ponge as well, in its celebration of the housewife labouring under difficult circumstances. Note that in French 'La Lessiveuse' is feminine in gender, and that where English uses 'it', the French pronoun would be 'she'. It is not easy to know how the speakers of a 'gendered' language like French react to this; it is sure that the (female) English reader and translator who mentally transposes each 'elle' into a 'she' feels that a feminist critique of Ponge's writing might be revelatory. An excerpt from this text is cited by Simone de Beauvoir in her chapter on marriage in Volume II of *Le Deuxième Sexe*.

Still, from having worked yourself into a lather all day (what the devil makes me write this way?): 'Mais d'avoir potassé tout le jour (quel démon m'oblige à parler ainsi?) . . .' writes Ponge, pretending to apologise for his wordplay on 'potasser', which conjures up both potash, an ingredient in soap, and the familiar 'potasser', to work or study very hard.

Wine

'Wine' was written for the catalogue of a wine merchant; one of its draft titles was the painterly 'Wine. A Glass of Wine with Some Cheese'. It appeared in 1947 in the Communist review *Action,* whose literary section Ponge edited from 1944 to 1946.

Note Baudelaire's 'Le Vin', in *Paradis Artificiels*:

> I suppose that an inhabitant of the moon or of some distant planet, travelling on our world, and fatigued with journeying, thinks of refreshing his palate and warming his stomach. He wishes to inform himself concerning the pleasures and customs of our earth. He has vaguely heard of some delectable liqueurs with which the citizens of this ball obtain courage and gaiety to their hearts' content . . . How great are the extravaganzas of wine, lit by the inner sun! How burning and true this second youth man draws from it! But also how formidable its lightning voluptuousness and enervating enchantments. And yet, tell me, in your conscience and soul, judges, lawmakers, men of the world, all you whom contentment renders sweet-tempered, whose good fortune renders virtue and health easy, tell me, who of you will have the pitiless courage to condemn the man who imbibes genius?

The Jug

Just as the beginning of this poem emphasises the resonant quality of the jug, so the French text echoes with rhymes throughout; for example, 'encore/ sonore/ amphores'.

The Olives

Instead of just doing its duty: the duty of the fruit and vegetables in Ponge is to assure the survival and perpetuation of the species.

The Shutter, Followed by Its Scholium

The banging shutter, a 'volet plein' or solid shutter in French, to distinguish it from a 'persienne' or louvred (outside) shutter, was on Ponge's bedroom window in the house he lived in during the war.

Stabat mater dolorosa: these are the first words of the hymn sung in churches during Easter week to evoke Mary's suffering. In French there is an echo between 'Stabat' et 'ça bat'.

BED: in French there is a pun on 'lit', which can mean both 'bed' and ' read'.

Dish of Fried Fish

The two parts of this text resemble the halves of a fish, open on the plate.

the long blades: this metaphor, the Pléiade editors point out, was probably suggested by the etymology of 'arête' (bone), from 'arista', whose original meaning was close to 'épi . . . épée' (blade).

O doriferous: in French 'odaurades', a Pongean invention which brings together the ideas of odour, the colour gold ('or' in French) and the name of the fish, a 'daurade'.

Sète: a Mediterranean port, site of Paul Valéry's 'Cimetière marin.'

The Plate

'L'Assiette' (whose etymology gives rise to wordplays within the French text) was commissioned in 1950 for the catalogue of a show of a hundred plates decorated by painters, including Braque and Cocteau.

Speech Stifled under the Roses

Written between 1949 and 1952, this poem established the vegetable model of Ponge's poetics: compositions that advance by accumulations and repetitions.

toaster: Ponge speaks of a 'biscotte' or kind of industrial, packaged toast coming golden from the baker's oven.

helicoidal petulve: neologisms.

The (Dried) Fig

Symmaque: Ponge seems to have mixed up two historical figures by the name of Symmaque, one of whom was 'a great Roman pagan', the other 'the father-in-law of Boetius'.

attempts . . . approximations: also a reference to Ponge's creative method.

this small tit – irreducible – which remains: like the pip of the orange, the oyster's pearl.

The Goat

This was the concluding poem of *Pieces*. The characteristics – naturalistic and mythological – of the goat become analogies for the creative process.

for they never forget their duty: the duty of the species is to reproduce, a recurring theme in Ponge here extended to maternal care for the young.

bellezebubbish: in French 'belzébuthées', a wordplay on 'belles' (beautiful) 'et butées' (and stubborn); and on 'elles bêlent' (they baa). The text here has a number of internal rhymes: 'belles/ bêlent/ elles/ quel'.

the unspoken: in French 'la muette', a reference to the silent 'e' at the end of the word 'chèvre'.

a mistaken tatter: in French 'une loque fautive', in which 'loque' means 'old rag', but also recalls the Latin *loquor*, to speak. 'Fautive' carries overtones of both error and fault.

(B) *editions*

Founded in 2007, CB editions publishes chiefly
short fiction (including work by Will Eaves, Gabriel
Josipovici, David Markson and May-Lan Tan) and
poetry (Andrew Elliott, Nancy Gaffield, D. Nurkse,
J. O. Morgan, Dan O'Brien). Writers published in
translation include Apollinaire, Andrzej Bursa, Joaquín
Giannuzzi, Gert Hofmann and Agota Kristof.

Books can be ordered from www.cbeditions.com.